W0032904

Pendo

Eva Herman

DAS EVA-PRINZIP

Für eine neue Weiblichkeit

Unter Mitarbeit von Christine Eichel

Pendo München und Zürich

Inhalt

Für

Elisabeth,

Urkönigin der Weiblichkeit

Prolog

Wir Frauen haben viel erreicht. Wir leben in einer Zeit der unbegrenzten Möglichkeiten. Was darf es bitte sein? Abteilungsleiterin, Astronautin oder Bundeskanzlerin? Single, Lebensgefährtin, Ehefrau oder »Nur-Mutter«? Wir können einfach zugreifen, im Supermarkt der Wünsche ist alles zu haben. Brav, angepasst, unterdrückt war gestern. Eva ließ sich von der Schlange überreden, verbotene Früchte zu pflücken, und seit sie ihrem Adam den Apfel reichte und beide vom Baum der Erkenntnis aßen, haben wir Frauen die Welt erobert. Wir entscheiden selbstbewusst, was wir wollen, und nehmen uns, was wir kriegen können auf dem Markt der Möglichkeiten. Also alles in bester Ordnung! Oder?

Es stimmt, wir Frauen haben tatsächlich viel erreicht. Wir marschieren im Stechschritt durch einen anstrengenden Alltag voller Widersprüche. Wir sehnen uns verzweifelt nach Geborgenheit, Heim und Familie und kämpfen täglich unser einsames Gefecht in der männlich geprägten Arbeitswelt. Unsere Beziehungen zerbrechen immer schneller. Wir verzichten auf Kinder, und wenn wir doch welche haben, dann geben wir sie so schnell wie möglich in fremde Hände.

Der Spagat zwischen Privatleben und Karriere ist ein Extremsport, der uns aufreibt, statt uns zu beflügeln. Wir sind überfordert, ausgelaugt und müde. Und fragen uns in stillen Momenten: Ist es das wert? Welchen Preis zahlen wir eigentlich dafür, emanzipiert und selbstbewusst zu sein? Sind wir überhaupt noch Frauen? Oder haben wir unsere Weiblichkeit verloren?

Wer solche Fragen laut stellt, bricht ein Tabu. Der gilt als Verräter an der Sache der Frau und muss mit Gegenwind rechnen in einer Gesellschaft, die nicht mehr zu diskutieren wagt darüber, ob die Errungenschaften der Frauenbewegungen überhaupt Errungenschaften sind. Ich weiß das aus eigener Erfahrung. Ich selber habe einiges einstecken müssen, als ich diese Fragen aufwarf. Manche haben versucht, mich persönlich anzugreifen. Das war nicht immer angenehm.

Aber die Sache ist zu wichtig, um mich einschüchtern zu lassen. Zu wichtig, um einfach so weiterzumachen wie bisher. Denn es geht um unsere Zukunft, um die Zukunft unserer Kinder, um den Fortbestand unserer Gesellschaft. Werden wir aussterben, wird unser Land in wenigen hundert Jahren brachliegen?

Abwegige Fragen? Keinesfalls. Wir sind im Begriff, uns selbst abzuschaffen. Und deshalb werden wir darüber diskutieren und Wege suchen müssen, die uns aus der Sackgasse heraushelfen. Und zwar so schnell wie möglich. Die Diskussion geht jeden von uns an, denn wir alle tragen Verantwortung, jeder an seinem Platz in der Gesellschaft.

Da sind die jungen Menschen, die gerade ihr Leben planen und ihre Wünsche umsetzen möchten. Sie sind belastet durch Zukunftsängste, sei es im Beruflichen wie im Privaten. Sie möchten eine Ausbildung beginnen oder studieren, doch sie sind unsicher, ob sich das alles noch lohnt, wenn es ohnehin zu wenige Arbeitsplätze gibt. Sie wollen Kinder, doch sie zögern mehr und mehr angesichts der wirtschaftlich unsicheren Verhältnisse.

Da ist die mittlere Altersklasse, beeinflusst durch die Nachkriegsgeneration und die Achtundsechziger, schwankend zwischen Ideologien, Illusionen und Enttäuschungen. Sie haben oft neue Wege ausprobiert, haben sich von eingefahrenen Mustern gelöst und versucht, der Generation der Eltern etwas entgegenzusetzen. Nicht immer ist das gelungen, und nicht immer endete das Experiment erfolgreich. Stattdessen ist das Bedürfnis nach Orientierung stärker denn je.

Und da sind schließlich die älteren Menschen. Sie fühlen sich noch jung und müssen doch damit leben, dass sie für zu alt befunden werden, zu alt für den Beruf und für das gesellschaftliche Miteinander. Häufig werden sie in Senioren- und Pflegeheime abgeschoben. Wie kann es sein, fragen sie sich häufig, dass sich ihre Kinder und Enkelkinder nicht mehr zuständig für sie fühlen, warum handeln sie anscheinend verantwortungslos, warum lassen sie keine größere Bindung erkennen?

Vorsicht, Tabubruch!

Die Diskussion über Ursachen und Folgen der heutigen Kinderlosigkeit bewegte mich dazu, einen Artikel darüber zu schreiben, der im Mai 2006 in der Zeitschrift *Cicero* veröffentlicht wurde. »Ist die Emanzipation ein Irrtum?«, fragte ich darin. Und: »Sterben wir am Ende sogar aus, weil die

Frauen vergessen haben, welches Glück und welche Befriedigung es bedeutet, Kinder zu haben?«

Die Reaktionen auf diesen Artikel waren gewaltig. Bundesweit brach eine heftige Debatte los. Die einen waren maßlos entsetzt. Sie überschütteten mich mit Vorwürfen, mit Häme, Hohn und Spott. Doch da waren auch die anderen. Sie äußerten Dank, Erleichterung und Anerkennung für den Mut, eine unpopuläre Wahrheit ausgesprochen zu haben. Und das Erstaunlichste war: Nach dem ersten Aufschrei mehrten sich die sachlichen und positiven Reaktionen. Ich hatte zwar provoziert, doch für viele war das ein heilsamer Schock gewesen. Offenbar war ausgesprochen worden, was viele denken, aber nicht zu sagen wagten.

Die heftigen Emotionen machten deutlich: Wir sind noch längst nicht am Ende der Diskussion über den Feminismus angelangt. Wir fangen gerade erst an. Das, wofür er angetreten war, die Freiheit der Frau, ihr Anspruch auf ein erfülltes, selbstbestimmtes Leben, ist nicht eingelöst worden. Schlimmer noch: Wir stehen heute oft vor den Trümmern unserer Existenz, persönlich, gesellschaftlich und finanziell. Ehe und Familie sind bedroht, das Unbehagen und die Verunsicherung wachsen. Und man muss kein Spezialist für Bevölkerungsstatistiken sein, um zu erkennen, dass wir Frauen auf dem besten Weg sind, unsere Lebensgrundlagen systematisch zu vernichten.

Das ist eine unbequeme Wahrheit. Wir sehen uns lieber als Opfer, die ihre Rechte einfordern müssen, als unerschrockene Kämpferinnen gegen männliche Privilegien. Kein Wunder, dass viele Frauen erst einmal enttäuscht von mir waren. Hatte hier nicht eine von ihnen die Stimme erhoben gegen ihr eigenes Geschlecht? Eine Frau, die ihr halbes Leben lang profitiert hatte von den Verdiensten der nun plötzlich geschmähten Emanzen? Eine, die drei Ehescheidungen hinter sich gebracht hat, selber Mutter ist und sehr viel arbeitet, nachweislich häufig abends um acht Uhr, wenn Kinder eigentlich von ihrer Mutter ins Bett gebracht werden sollten? Eine Frau also, die alle Vorteile der Frauenbewegung für sich genutzt hatte und sie nun öffentlich mit Füßen trat?

Damit sind wir an einem wichtigen Punkt angekommen. Nicht trotz meines Berufes schrieb ich diese Bestandsaufnahme, sondern genau deswegen. Gerade als Journalistin werde ich ständig mit den Missständen unserer Gesellschaft konfrontiert, mit Themen wie Vereinsamung und Vernachlässigung, mit Problemen wie zerrütteten Familien und überforderten Frauen. Die Bilanz unserer gesellschaftlichen Entwicklung ist ernüchternd und beängstigend, zeigt sich doch deutlich, dass alle unsere Systeme, welche unsere Gemeinschaft einmal zusammenhielten, bald schon nicht mehr funktionieren könnten.

Dem privaten Teil meines Lebens, als Partnerin eines Mannes, verdanke ich ebenfalls wichtige Erfahrungen, die keineswegs nur aus Friede, Freude, Eierkuchen bestanden. Bei aller Sehnsucht nach Harmonie und Glück wurden mir die schmerzhaftesten Enttäuschungen beschert. Ich erlebte – wie jeder andere in Paarbeziehungen auch – Meinungsverschiedenheiten, Dominanzverhalten, Rangkämpfe und Trennungen. Und ich versuchte herauszufinden, woran das lag. Schließlich erkannte ich, dass wir Frauen umso weniger Kompromisse eingehen können, je stärker wir uns dem Prinzip der Selbstverwirklichung zuwenden. Nicht jeder Mann ist in der Lage, nachsichtig und großzügig darauf zu reagieren; und so muss man sich eingestehen, dass neben anderen Faktoren die viel gepriesene Emanzipation durchaus ihren Teil zu einer höheren Trennungsrate beiträgt.

Angetreten war ich einst mit dem Wunsch, glücklich zu werden. Und der Weg dahin schien auch sonnenklar zu sein: Ohne weiter darüber nachzudenken, verwirklichte ich mich als so genannte moderne und emanzipierte Frau beruflich, beruflich und noch einmal beruflich. Es waren die kleinen, fast unmerklichen Dinge, die in die größten Katastrophen führten: Ein gemütliches Wochenende zu zweit wurde abgesagt, weil eine lukrative Fernsehshow winkte, ein Abendessen bei Kerzenschein auf unbestimmte Zeit verschoben, weil noch ein Dienst dazukam. Ohne lange zu überlegen, traf ich immer öfter die Entscheidung für meine Arbeit und gegen mein Privatleben, schließlich hatte ich große Pläne.

Erst als ich schwanger wurde, begann sich mein Weltbild zu verändern. Immer klarer wurde mir vor Augen geführt, dass ich nicht der Mittelpunkt war, für den ich mich gehalten hatte. Mein Blickfeld erweiterte sich, Empfindungen wie Empathie und Einfühlungsvermögen gewannen zunehmend an Raum. Und allmählich begann sich die Vorstellung meiner vermeintlichen Überlegenheit und Allmacht den Bedürfnissen anderer Menschen anzupassen, ein Prozess, den ich staunend registrierte. Was war mit mir geschehen? Es dauerte ein wenig, bis ich es verstand: Meine aufmerksamere Sicht der Dinge und der Menschen war eine Einrichtung der Natur, um mich auf mein zukünftiges Dasein als Mutter vorzubereiten.

Seitdem habe ich viele positive und negative Erfahrungen gemacht, die Kinder mit sich bringen, und ich gewinne täglich neue Einblicke in das Dilemma, in das viele Frauen und Mütter inzwischen geraten sind. Nicht wenige von ihnen sind mir im Laufe der vergangenen Jahre begegnet, und es wurde für mich immer deutlicher, dass wir alle den gleichen Nöten ausgesetzt sind. Spätestens in dem Augenblick, in dem wir die Haustür hinter uns zuziehen, weil wir zur Arbeit müssen, während unser Kind mit hohem Fieber im Bettchen liegt und fremdbetreut wird, spüren wir genau, dass etwas schief läuft. Und wenn wir abends unseren Schreibtisch immer noch nicht verlassen können, obwohl unsere Tochter oder der Sohn weinend am Telefon wartet, nehmen wir unsere innere Zerrissenheit in ihrer ganzen Dramatik wahr. So wie mir diese Umstände nur allzu vertraut sind, durchleben auch alle anderen berufstätigen Mütter solche Konflikte wieder und wieder.

Doch wer hört uns zu? Wen interessiert es, dass wir häufig fast zerbrechen an den vielen Rollen, die wir bewältigen müssen? Anscheinend müssen diese Dinge von einer Frau benannt werden, die »öffentlich« lebt und dadurch eine gewisse Aufmerksamkeit erzielt. Ansonsten bleibt dieses brisante Thema verborgen im Windschatten der Vorzeigefrauen, die in den Arenen der Medienwelt immer nur über ihre Erfolge plaudern. Wir kennen sie doch alle, und ich selbst war eine Weile Mitglied dieses kampferprobten Flottenvereins. Ich gehörte so zu den durchorganisierten Heldinnen und Superweibern, die scheinbar mühelos alles regeln und sich an kritischen Fragen über den Sinn ihres Seins vorbeilächeln, während sie sich bei schwerem Sturm nur mühsam an Deck halten. Heute sehe ich das anders.

Als meine Verantwortung empfinde ich es, über das zu reden, was keine Frau gern zugibt: dass wir oft am Ende sind mit unseren ach so intelligenten Lebensentwürfen. In Wahrheit wissen wir, dass wir nicht alle Anforderungen im Beruf hundertprozentig erfüllen können, und zwar oftmals deshalb, weil wir Mütter sind. Auch zu Hause, in der Partnerschaft, im Privaten gelingt es oft nicht, unseren Aufgaben wirklich gerecht zu werden und wie ersehnt unser hektisches Heim zu einer Oase des Friedens zu gestalten. Das bekommen wir nur selten hin, so wie es auch zunehmend purer Luxus wird, unsere Freunde regelmäßig zu treffen und langjährige Verbindungen zu pflegen. Funktionierendes, gemütliches, soziales, verlässliches Miteinander? Fehlanzeige!

Wenn wir ehrlich sind, dann ist uns bewusst, dass wir ständig gegen unsere innere Überzeugung handeln, und wir ahnen, dass wir uns damit in eine fatale Situation begeben haben. Immer deutlicher wird die Erkenntnis, dass unsere Lebensentwürfe oft ein eher zufälliges, wenig durchdachtes Ergebnis jener Möglichkeiten und Angebote sind, die uns irgendwann einmal begegneten. Wir griffen zu, weil wir sie als Chancen verstanden, ohne darüber nachzudenken, ob andere Wünsche und Sehnsüchte eventuell offen blieben. Heute behaupten wir tapfer, mit diesem Sammelsurium eines »Lebensplans« glücklich zu sein, auch wenn plötzlich kein Platz mehr für eine Familie da ist.

Darauf aufmerksam zu machen ist nicht gesellschaftsfähig. Es passt so gar nicht zu dem, was die meist unverheirateten Feministinnen uns seit einigen Jahrzehnten einreden wollen: dass alles planbar ist und dass wir die Bindung an Mann und Kind besser überwinden sollten, wenn wir unsere Erfüllung suchen. Sprechen wir es ruhig aus: Wir allein luden uns die Bürde dieser Widersprüche auf die Schultern, wir selber machten uns zum Spielball verlockender Angebote und Karriereversprechungen. Wir sprangen durch jeden Reifen, den man uns hinhielt, statt innezuhalten und uns die wahren Lebensfragen zu stellen, als wir antraten zum Kampf für uns, für unsere Unabhängigkeit und – zum Kampf gegen die Männer.

Mütter am Ende der Hierarchie

Es ist höchste Zeit, Bilanz zu ziehen. Ich tue das nicht als Wissenschaftlerin, die Theorien sammelt und vergleicht, sondern aus der praktischen, persönlichen Erfahrung und Beobachtung heraus. Täglich können wir registrieren, dass Selbstverwirklichung vielfach reine Selbsttäuschung ist. Und dass selbst diejenigen, denen alles scheinbar mühelos gelingt, im Geheimen Zweifel hegen. Die Selbstverwirklichung ist oft nur ein Deckmantel für egoistische Alleingänge oder wirtschaftliche Zwänge, bei denen erst die Familie auf der Strecke bleibt und dann die Frauen selber.

Doch Vorsicht: Wer dies ausspricht, ist ein Spielverderber. Es könnte ja der makellose Lack glanzvoller Erfolgsgeschichten angekratzt werden. Bis jetzt hat der Anstrich noch gut gehalten, auch wenn es darunter im Laufe der Jahre rostig und morsch geworden ist. Die Notwendigkeit der berufstätigen Frau in Frage zu stellen ist eines der letzten Tabus unserer aufgeklärten, debattierfreudigen Gesellschaft. Frauen, die »es geschafft« haben, beißen deshalb die Zähne nur umso fester zusammen, wenn man wagt, an dieser großartigen Leistung zu zweifeln.

So war es traurig, doch auch wieder logisch, dass sich manche Kolleginnen, Moderatorinnen und so genannte Journalistinnen aufgefordert fühlten, mich nach Erscheinen des *Cicero*-Artikels in offenen Briefen zu attackieren. Eine von ihnen sprach mir jede »kämpferische Lebenslust« ab, attestierte mir »Verbitterung und Resignation«. Weiter unterstellte sie mir, ich wünschte mir das »Fünfziger-Jahre-Muttchen am Herd« zurück, das hausbacken ist und sich gegen jeden Fortschritt wehrt.

Pure Panik, ja, tiefe Ängste sprechen aus solchen Äußerungen. Diese Kollegin schien sich selbst keine weiter erwähnenswerte menschliche Qualität beizumessen, wenn sie als einzige Alternative zur Berufstätigkeit das »Fünfziger-Jahre-Muttchen« entwarf. Befürchtete sie am Ende, dass ihr keine Identität mehr bleibt, wenn sie nicht mehr arbeiten würde? Aber gerade die vom Erfolg verwöhnten Frauen dürfen nicht zugeben, dass sie manchmal zweifeln. Sie verbieten es sich, Bedenken hinsichtlich ihres Lebensweges zu äußern, weil sie jene für Schwäche halten. Der Ausdruck »Muttchen« verweist auf eine untergründige Aggression, auf eine Furcht, sich zum Muttersein zu bekennen, nährt die Sorge, gesellschaftlich nicht mehr anerkannt zu sein, wenn die Sehnsucht nach einem Kind, nach Familie ausgesprochen wird. Es macht mich fassungslos, wenn ich erlebe, dass Mütter heute offenbar nur dann etwas wert sind, wenn sie eine Arbeit vorweisen können. »Nur-Hausfrauen« und Mütter? Das sind dann eben die »Muttchen«.

Diese Abwertung ist an Dummheit nicht mehr zu überbieten. Es gibt Kulturen, die Mütter verehren, die Respekt und Hochachtung vor der Leistung haben, Kinder zu erziehen und ein intaktes Familienleben aufrechtzuerhalten. Bei uns dagegen scheinen überzeugte Mütter am unteren Ende der gesellschaftlichen Rangordnung zu stehen.

»Zwischen Steinzeitkeule und Mutterkreuz« – so siedelte mich die Feministinnen-Führerin Alice Schwarzer nach dem *Cicero*-Beitrag in einem Interview an, das sie im Frühjahr 2006 dem *Spiegel* gab. Der Begriff »Mutterkreuz« symbolisiert in diesem Zusammenhang ausschließlich Negatives, handelt es sich hier doch um einen Orden, der während des Dritten Reichs im Namen Adolf Hitlers von den Nationalsozialisten an jene fortpflanzungsfähigen, reichsdeutschen Mütter verliehen wurde, die einen einwandfreien Ariernachweis vorlegen konnten. Die üble Rassenpolitik aus dem dunkelsten Kapitel deutscher Geschichte setzt Frau Schwarzer gleich mit der heutigen Diskussion über das Muttersein.

Doch damit war sie noch nicht am Ende ihrer bemerkenswerten Entgleisungen. Auf die Frage des *Spiegel*-Redakteurs, ob es ihr denn keine Sorge bereite, dass in Deutschland so wenig Kinder geboren werden, antwortete sie unbekümmert: »Nicht die Bohne. Wir müssen doch im Jahr 2006 dem Führer kein Kind mehr schenken.«

Kaum jemand hat angesichts dieser vollkommen unbegreiflichen Aussagen aufgeschrien, niemand schien sich daran zu stören, dass eine kritische Auseinandersetzung mit sinkenden Geburtenraten und dem Feminismus mit dem Sprachgebrauch des Hitlerstaats beantwortet wurde. Stumpf wurden die Sätze hingenommen, widerspruchslos und ohne das Bedürfnis auf Richtigstellung. Das zeigt, wo wir heute stehen: Wenn wir solche Bekundungen akzeptieren, lassen wir uns das Denken verbieten. Wenn wir das Feld solchen Aufwieglerinnen überlassen, finden wir niemals einen Weg zurück zum selbstverständlichen Muttersein mit all seinen wunderbaren Momenten wie Liebe, Geborgenheit und Urvertrauen. Dann berauben wir uns der natürlichsten Einrichtung der Schöpfung. Mit der unreflektierten und gehorsamen Gefolgschaft dieser feministischen Äußerungen erlauben wir vereinzelten, mit schwarzen Kutten getarnten Scharfmacherinnen, auf unsere persönlichen Geschicke Einfluss zu nehmen und uns in unser Verderben zu führen.

Ich habe jenen Feministinnen der ersten Reihe verziehen, die in einer heimlich organisierten Kampagne versuchten, mich bei meinen *Tagesschau*-Vorgesetzten zu diskreditieren, und die etliche Leute konkret dazu aufforderten, meine Entlassung zu verlangen. Ich gebe zu, im ersten Moment war ich schockiert, dass diese Verleumdungsaktion und Denunziation ausgerechnet von jenen Emanzen initiiert wurden, die für Feminismus, Freiheit und das Selbstbewusstsein der Frauen in Deutschland eintreten. Einstmals gehörte zu ihrem Kampfprogramm auch die freie Meinungsäußerung von Frauen – die ja im Übrigen im Grundgesetz verankert ist. Heute werden die Kämpferinnen von einst zwar mit dem Bundesverdienstkreuz bedacht, andere Ansichten aber lassen sie offenbar nicht zu. Mehr noch: Sie haben bewiesen, dass sie Menschen mit anderen Überzeugungen existenziell vernichten wollen. Für die Konsequenzen ihres Handelns sind sie selbst verantwortlich.

Ich frage mich: Welchen Wert haben Kinder in unserer Gemeinschaft? Sind sie am Ende nur noch Dekoration? Etwas, das man sich so nebenbei leistet, wenn man alles andere erreicht hat? Und das man wahlweise weggibt oder wieder abholt, je nachdem, wie es uns gerade in den Kram passt? Es sieht ganz danach aus. Aber auf Zierrat kann man verzichten. Und genau das tun immer mehr Frauen.

Dass immer weniger Frauen – und Akademikerinnen überdurchschnittlich selten – Kinder wollen, beschäftigt mich schon seit vielen Jahren. Nur zu deutlich treten die Gründe für das langsame Aussterben der Deutschen zutage. Klar, nach Meinung vieler ist die Politik schuld, die fehlende Kinderbetreuung zum Beispiel, mangelnde Teilzeitangebote, zu wenig Erziehungsgeld. Die Politiker geben den Ball zurück und fordern, die Menschen sollten mehr Eigenverantwortung für ihre Lebensplanung übernehmen. Die Unternehmen winden sich unter der Forderung nach familiengerechten Arbeitsbedingungen. Frauen bemängeln, die laschen Männer seien schuld, die Männer wiederum verdächtigen uns, nicht genügend zu tun, um all unsere Ziele gleichzeitig zu erreichen. Außerdem, so ist immer wieder zu hören, seien es die Antibabypille oder andere Verhütungsmittel, die uns zusehends dezimieren.

Es brodelt mächtig in Deutschland. Und dabei ist bei dieser Problematik das alte Spiel zu beobachten, jeder schiebt dem anderen die Verantwortung zu. Neu ist daran, so mein Verdacht, dass wir Frauen bewusst oder unbewusst viel verhängnisvoller an der Kinderlosigkeit und am gesellschaftlichen Niedergang mitgewirkt haben, als wir es zugeben wollen. Und die Zahlen, Fakten und Erkenntnisse der vergangenen Jahre sprechen dafür.

Wir sollten aufräumen mit den schönen Lebenslügen und zu einer ehrlichen Bestandsaufnahme bereit sein. Wie viel Arbeit verträgt eine Frau, ohne zu leiden und ohne ihre Familienpläne zu belasten? Wie gut ist für uns ein Doppelleben wirklich durchführbar? Können wir mit Recht Begriffe wie Freiheit und Selbstverwirklichung anführen, wenn wir uns die berufliche Tätigkeit von Frauen anschauen?

Reden wir Klartext: Die meisten Frauen können meist gar nicht frei entscheiden, ob sie zu Hause bleiben wollen oder arbeiten gehen, und zwar allein aus wirtschaftlichen Gründen. Das bedeutet nicht Freiheit, sondern Unterdrückung! Die Befreiung der Frau, ihre Emanzipation, für die sie lange hart kämpfte und die als Grundsäule ihres Selbstverständnisses beschworen wird, existiert überhaupt nicht. Unsere materiell und global orientierte Gesellschaft, die kaum noch individuelle Interessen berücksichtigt, hat sich die feministischen Glaubenssätze einverleibt und benutzt sie nun als Alibi, um Frauen aus der Familie zu reißen und sie auf den Arbeitsmarkt zu treiben. Ohne Rücksicht auf Bindungen, Partnerschaften, Kinder.

Es gibt nur noch zwei Grundsätze, die von Bedeutung sind und nach denen unser gesamtes Denken ausgerichtet wird: Gewinn und Kostensenkung. »Wir leben nun einmal in einer materialistischen Welt«, schrieb mir eine empörte Leserin nach dem *Cicero*-Artikel. »Und dieser müssen wir uns anpassen.« Ich bin da völlig anderer Meinung. Wir *sind* die materialistische Welt, wir machen sie selbst dazu. Genauso haben wir aber auch die Chance, uns diesen Mechanismen zu entziehen, wenn wir es nur wollen.

Unser Staat ist keine abstrakte, anonyme Konstruktion, sondern jeder Einzelne von uns ist Teil dieser Gemeinschaft. Wir bestimmen mit, wir gestalten unser Leben, lassen Umstände zu oder verhindern Entwicklungen. Jeder Mensch trägt durch sein eigenes Verhalten dazu bei. Und wer glaubt, er allein könne nichts ausrichten, der irrt sich gewaltig.

Wie wir uns abschaffen

Viele Umstände sind dafür verantwortlich, dass unsere Gesellschaft sich zurzeit in einer Krise befindet. Eines jedoch ist sicher: Wir können nur dann etwas verändern, wenn wir es wirklich wollen. Dazu müssen wir aber erkennen, wie notwendig und wie dringend eine Umkehr ist. Heute, jetzt, und nicht morgen oder übermorgen.

Wir Menschen haben die Möglichkeit zur freien Entscheidung, doch wie nutzen wir diese Freiheit? Hat sie uns glücklicher gemacht, zufriedener? Hetzen nicht gerade wir Frauen unter großem Druck diffusen Vorstellungen hinterher? Der Wunsch, einen Partner zu finden, mit ihm Kinder zu haben, sie zu bemuttern und aufzuziehen, das mag man als Instinkt abtun, der von der Schöpfung vielleicht einmal so geplant wurde, dem wir uns jedoch heute nicht mehr unterwerfen müssen. Doch was haben wir dem entgegenzusetzen? Ist es wirklich so erstrebenswert, als Single durchs Leben zu gehen? Als allein erziehende Mutter? Als rastlose Managerin einer Familie, die Mann und Kind wegorganisiert, um sich im

Arbeitsleben zu beweisen? Ist es das, was uns der Verstand diktiert?

Es stellt sich heraus, dass wir noch weitaus mehr vergessen haben als unsere ursprünglichen Sehnsüchte. Auch die Intuition wird immer stärker verdrängt, jene wunderbare Gabe, mit der wir Menschen ausgestattet wurden, vor allem die Frauen. Wir alle kennen dieses »Bauchgefühl«. Wir spüren einfach, was gut und richtig ist, was uns glücklich macht oder was gefährlich werden kann, Unglück heraufbeschwört. Doch die Stimme der Intuition wird immer wieder übertönt vom Kampfgeschrei der Einpeitscherinnen, die uns ein männliches Rollenbild aufzwingen wollen: Ihr wollt alles? Gut so! Euch steht auch alles zu! Lasst euch nicht auf das Frausein reduzieren! Nehmt, was ihr kriegen könnt! Verdrängt Gefühle, Sehnsüchte, Wünsche, klappt das Visier herunter und kämpft wie Männer! Werdet die perfekten Egoistinnen!

Das große Ganze gerät dabei aus dem Blick. Verantwortung für die Gesellschaft mag niemand mehr übernehmen. Jeder denkt zuerst an sich selbst. Die ichbezogenen Lebensentwürfe sind längst akzeptiert – und verfestigen sich mehr und mehr zur Norm. Welche junge Frau erntet denn heute Anerkennung, wenn sie bekennt, sie möchte einfach nur heiraten und Kinder bekommen? Sie gilt als rückständig, beschränkt, fantasielos und oftmals auch als berechnend, weil man ihr unterstellt, sie wolle nur versorgt werden. Dass sie aber damit selbstlose und gesellschaftlich wertvolle Arbeit leistet, auch wenn kein großes Büro und keine beeindruckende Gehaltsabrechnung das dokumentieren, auf diese Idee kommt kaum jemand.

Wir haben mit der Ordnung der Dinge gebrochen und zerbrechen nun selbst daran. Seltsamerweise sind die Männer nur am Rande davon berührt. Ihre Rolle hat sich nicht wesentlich verändert. Allenfalls hat uns der Feminismus verunsicherte Softies beschert, die sich aus ihrer Verantwortung zurückziehen, eine bemerkenswerte Entwicklung, auf die ich in einem eigenen Kapitel eingehen werde. Viele Männer lehnen Frau und Familie ab und tummeln sich in der Erfolgs- und Spaßgesellschaft, während die letzten Männer traditioneller Prägung als Spätmachos verhöhnt werden. Von Frauen!

Männer scheinen für viele Frauen längst nicht mehr zu einem erfüllten Leben dazuzugehören. Da die traditionellen Lebensentwürfe vom Familienglück als unzeitgemäß hingestellt wurden und werden, bestimmen Scheidungen und Singlefrauen mit Kindern, die bewusst auf das Zusammenleben mit dem Erzeuger verzichten, unser Gesellschaftsbild. Noch bestehende Partnerschaften und Ehen sind dagegen zum Schlachtfeld geworden. Ein täglicher Kampfplatz, auf dem unsere letzten Kräfte vergeudet werden. Fünf Minuten, so fanden Soziologen heraus, sprechen deutsche Paare täglich miteinander, mehr nicht. Und in diesen fünf Minuten wird vornehmlich um familiäre Rechte und Pflichten gerangelt. Was heißt: Man lebt sich auseindander oder aneinander vorbei.

Ein älterer Leser schrieb mir in einem langen Brief unter anderem folgenden Satz: »Meine Großtante, eine sehr feine, alte Dame, prophezeite mir vor über dreißig Jahren, als der Feminismus sich seinen Weg bahnte: ›Die Emanzipation wird die Männer unhöflicher machen.‹«

Diese Frau hatte die richtige Ahnung. Man könnte sogar vorsichtig fragen: Verlieren die Männer am Ende die Achtung vor uns Frauen?

Wir Frauen sind Heldinnen und zugleich Opfer der neuen Lebensformen. Wir verdrängen gern, dass wir biologisch gesehen eine andere Rolle als Männer haben. Durch unsere von der Natur angelegte Unterschiedlichkeit der Geschlechter funktionieren wir anders, fühlen anders, lieben anders und reagieren anders als Männer. Was aber tun wir, weil wir ja so emanzipiert und fortschrittlich sind? Wir orientieren uns stattdessen an der männlichen Rolle. Unsere emotionalen, »weichen« Eigenschaften, die unsere Gesellschaft so dringend für einen gesunden, harmonischen Ausgleich benötigt, drängen wir in den Hintergrund. Liebe und Zuwendung bleiben zunehmend auf der Strecke. Wir rüsten uns hoch mit männlichen Verhaltensformen, werden streitsüchtig, aggressiv, unerbittlich im Überlebenskampf.

Das Leid unserer Kinder

Und was geschieht mit unseren Kindern, sofern wir denn überhaupt noch welche haben? Sie leiden. Stumm, selbstverständlich, denn kaum jemand nimmt ihre Interessen wahr. Kinder haben keine Lobby. Keine Gewerkschaft legt Zeiten fest, wie lange sie ihre Eltern sehen dürfen, kein Politiker interessiert sich dafür, ob sie sich gut entwickeln, ob sie zu selbstbewussten, liebevollen, verantwortlichen Menschen heranwachsen. Erst dann, wenn Kinder mit Messern und Pistolen zur Schule gehen, wenn sie ihre Lehrer bespucken, krankenhausreif schlagen und jede Erziehung verweigern, erhebt sich ein lautes Geschrei.

Es ist bei uns politisch korrekt geworden, dass Kinder unter drei Jahren in Einrichtungen betreut werden. Niemand stört sich daran, dass Babys, die wenige Monate alt sind, in fremde Hände gegeben werden, weil die Mutter wieder arbeitet, vielleicht aus einem wirtschaftlichen Druck heraus oder aber, weil sie »etwas für sich tun« will.

In den vergangenen Jahren habe ich einen großen Teil meiner Zeit mit dem Studium der Entwicklung von Kindern verbracht. Dabei besuchte ich zahlreiche Kongresse und Symposien von Kinderärzten und Psychologen, Soziologen, Entwicklungsbiologen und Bindungsforschern. Aus dieser Arbeit heraus entstanden zwei Bücher, die inzwischen für Fachleute zu Standardwerken geworden sind: eines über das Stillen und die Wichtigkeit der Körpernähe und Zärtlichkeit zwischen Mutter und Kind, das andere über die liebevolle Begleitung von Kindern beim Einschlafen.

Bei der Recherche zu den Büchern fiel mir auf: Kaum anderswo in der zivilisierten Welt ist es um das Ansehen der Kinder derartig schlecht bestellt wie bei uns in Deutschland. Ihre Rechte auf Bindung und Nähe zu den Eltern werden missachtet und beiseite geschoben, ja, sie sind nicht einmal im Grundgesetz verankert, wodurch wir uns von den meisten Ländern in der Welt unterscheiden.

Kinder, die keine liebevolle Zuwendung erleben dürfen, entwickeln sich jedoch nachweislich anders als solche aus intakten Familien. Studien darüber gibt es genug. Doch die passen nicht ins Bild der »modernen«, leistungsbetonten Gesellschaft mit emanzipierten, berufstätigen Frauen – und werden deswegen auch nicht beachtet. Solange wir unsere Kinder aber so nachlässig behandeln wie wir es zurzeit tun, und solange dieses Verhalten nicht diskutiert und verändert wird, werden wir keinen Frieden in unserer Gesellschaft haben. Gewalt, Unsicherheit, Kälte und Bindungslosigkeit werden unsere Dauerbegleiter sein.

In kaum einer anderen Epoche als der heutigen wird so viel über Werte und Zusammenhalt diskutiert, über die Selbstverständlichkeiten, die uns abhanden gekommen sind. Auch wenn dies ein erster Schritt zu einer Umkehr sein könnte, die uns vom Kampfgetöse der Feministinnen wegführt, erkennen wir doch gleichzeitig die Hoffnungslosigkeit, Zerstörung und Desillusionierung, die um sich gegriffen haben. Wissen wir eigentlich noch, was uns wirklich glücklich machen könnte? Was unserem Dasein Sinn verleiht? Ist es ein Leben mit Kindern oder ohne, mit Männern oder nicht, wünschen wir uns überhaupt das, was man eine Familie nennt? Oder ist es die berufliche Selbstverwirklichung, die uns immer noch reizt, ohne eine Antwort auf die Frage zu haben, was später einmal sein wird?

Welche Rolle spielen wir Frauen wirklich? Und was sind wir jenseits aller Rollen? Welche Fähigkeiten machen uns aus, damit wir uns entwickeln können? Haben wir leichtfertig Verhaltensweisen angenommen, die uns in die falsche Richtung führen? Werden wir unserer Verantwortung noch gerecht? Ist es Zeit, die wahre Bestimmung der Weiblichkeit zu erkennen und in unserer Gesellschaft zu installieren, um uns zu retten? Sind Adam und Eva für immer aus dem Paradies vertrieben oder können und sollten wir das Rad der Geschichte zurückdrehen? Und wenn ja, in welcher Weise?

Dieses Buch möchte aufklären. Darüber, wie wir Ratlosigkeit in Tatkraft umwandeln können. Und darüber, wie wir unser Schicksal bewusst bestimmen können. Es klingt absurd, aber es ist nicht von der Hand zu weisen: Wir Frauen haben vergessen, dass wir Frauen sind. Wir haben in vieler Hinsicht unsere Weiblichkeit verloren, das, was uns ausmachen könnte. Wir marschieren im Nadelstreifen durch eine kühle Männerwelt und unterdrücken unsere Gefühle. Wir kämpfen, anstatt aufzubauen. Und wir vereinsamen, statt das zu tun, was wir am besten können: ein warmes Nest bauen, Netzwerke anlegen, einen Schutzraum bieten in einer rücksichtsloser werdenden Welt.

Wenn wir uns auf unsere wahren Stärken besinnen, können wir die Welt verändern. Große Worte? Vielleicht. Aber es sind nun mal Frauen, die durch soziale und emotionale Intelligenz ein menschlicheres Zusammenleben gestalten können. Ohne uns Frauen in den Himmel heben zu wollen: Wir haben eine ungeheure Kraft, die wir neu entdecken können. Sie wirkt ohne Machtspiele, denn sie will nicht siegen, sondern aufbauen. Sie will nicht wegdrängen, sondern versöhnen. Wer, wenn nicht wir Frauen, soll einen Gegenentwurf zu einer Welt des Konkurrenzkampfes, der Lieblosigkeit und der rücksichtslosen Ausbeutung entwickeln?

Nennen wir es das Eva-Prinzip. Eva ist nicht Adam, auch wenn die Feministinnen uns gern einreden wollen, dass Gleichberechtigung auch Gleichheit bedeutet. Wir Frauen sind anders. Machen wir uns auf, dieses Anderssein zu entdecken und zu kultivieren. Deswegen sollten wir nicht weiter mit den selbstverständlich gewordenen Waffen kämpfen – weder gegen Männer noch gegen Frauen, die sich für emanzipiert halten. Vielmehr möchte ich einen Weg der Versöhnung zeigen, einen Weg, der zu einer gesellschaftlichen Harmonie zurückführt, die gerade Frauen gestalten können.

Dieses Buch wird provozieren. Es wird all jene auf den Plan rufen, die gefangen sind in den Argumenten und Überzeugungen des Feminismus. Aber ich hoffe sehr, dass auch diejenigen, die sich an meinen Erkenntnissen reiben, Momente der Nachdenklichkeit haben werden.

Niemandem werde ich es übel nehmen, wenn er erst einmal protestiert. Es war ein langer Weg zu jener gesellschaftlichen Wirklichkeit, die wir uns erschaffen haben. Eine Umkehr ist unbequem, manchmal auch schmerzhaft. Es ist ein weit verbreitetes Reaktionsmuster, mit heftigen Gefühlen dagegenzuhalten, wenn jemand gegen den Strich denkt. Da wir uns an bestimmte Lebensformen gewöhnt haben, ist es immer schwierig, sich am Anfang sachlich und neutral mit gegenläufigen Argumenten auseinanderzusetzen. Die erste Reaktion auf einen Tabubruch fällt häufig dementsprechend hitzig aus. Doch kann dies auch die Vorstufe zur Reflexion sein.

An dieser Stelle noch ein Wort in eigener Sache: Dieses Buch hat für mich persönlich Konsequenzen. Denn ich hatte zu entscheiden, was mir wichtiger war: meine Meinung zu diesem gesellschaftspolitisch wichtigen Thema zu äußern oder die Fortsetzung als Sprecherin der *Tagesschau*. Beides war nicht möglich. Der Geburtenrückgang in unserem Land, der Zerfall der Gesellschaft und alle weiteren hier geschilderten folgenschweren Umstände veranlassen mich nun, das Eva-Prinzip lebendig werden zu lassen.

1
Lebenslüge Selbstverwirklichung – warum wir ihr alles opfern

Selbstverwirklichung! Für viele Menschen ist dies ein Zauberwort auf dem Weg in eine selbstbestimmte, freie Existenz. Es ist der vermeintliche Schlüssel zu einem glücklichen Leben. Und so lautete auch mein Lebensmotto viele Jahre lang: »Verwirkliche dich selbst!« Doch mittlerweile haben sich mir reichlich Gründe erschlossen, warum man sich von dieser gefährlichen Vorstellung befreien sollte. Gerade die verlockenden Versprechungen der Selbstverwirklichung waren es, die mein Leben immer mehr einengten, die schließlich meine Wirklichkeit bedrohten und einen schmerzhaften Lernprozess in Gang setzten.

Vor einiger Zeit traf ich auf der Straße eine Bekannte aus früheren Jahren zufällig wieder, nennen wir sie Simone. Meinen Vorschlag, einen Kaffee trinken zu gehen, beantwortete sie mit einem kurzen Blick auf die Uhr: »Na, gut. Zwanzig Minuten. Dann habe ich einen Termin.«

Es wurden mehr als zwanzig Minuten.

Gleich nebenan war ein kleines Restaurant, und bei einem Milchkaffee erzählte sie mir im Telegrammstil, wie es ihr in den letzten Jahren ergangen war. Simone ist Ende dreißig. Sie hat einen Freund, mit dem sie nicht zusammenwohnt, und einen Beruf, der sie intensiv fordert.

Simone lebt bewusst allein. Sie brauche Zeit für sich, sagte sie. Und beteuerte, dass sie nichts auslässt, um sich selbst zu verwirklichen. Ihr Lieblingssatz lautet: »Ich will eben etwas für mich tun.«

Kennen Sie diesen Satz? Er ist uns allen geläufig.

Sie absolvierte ihre Ausbildung, um etwas für sich zu tun, sie lebt allein, um abends etwas für sich tun zu können, und sie belohnt sich unentwegt selbst für ihre anstrengende Arbeit: mit ausgedehnten Shopping-Touren, Wellness-Aufenthalten, Weekend-Trips, Sushi. Selbstverwirklichung, erklärte Simone, sei ihr das Wichtigste.

Irgendwie fröstelte es mich beim Zuhören. Während unseres Gesprächs zeigte sie mir wie in einem Spiegel, wohin auch mich die gerühmte Selbstverwirklichung beinahe gebracht hätte.

Die Sucht nach Selbstbestätigung

Es ist zu einer Modeaussage geworden, und sie klingt verführerisch: das Selbst wirklich werden zu lassen, alle Möglichkeiten und Talente voll auszuschöpfen. Simone ist fest davon überzeugt, dass ihr genau das gelungen ist. Und sie wurde nicht müde, mir zu schildern, wie viel Anerkennung sie von Kollegen und Freunden dafür bekommt.

Das war der Moment, der mich hellhörig machte, denn sicher ist: Der Gradmesser für die Selbstverwirklichung ist die Bestätigung von außen, die die Selbstbestätigung zur Folge hat. Es ist das Bild, das die anderen uns zurückwerfen, Komplimente, Lob, Respekt – und Neid. Denn auch Neid, so Simone, »muss man sich heute hart erkämpfen«.

Mir persönlich erging es viele Jahre lang ähnlich. Wie eng – und wie unheilvoll – Selbstverwirklichung und Selbstbestätigung miteinander verknüpft sind, wurde mir aber erst allmählich klar. Denn zunächst war das genau die Struktur, die mich zum Erfolg führte, das Muster, das mich dazu anspornte, extrem viel zu leisten. Erst als es beinahe zu spät war, musste ich erkennen, dass diese Verquickung von Selbstverwirklichung und Selbstbestätigung eine Gefahr bedeutet. Vergessen wird dabei nämlich eines: Ist dieses gehätschelte Selbst wirklich das eigentliche, das »innere Ich«?

Lob und Anerkennung haben mich meine ganze Kindheit lang begleitet. Und ohne es zu durchschauen, entstand allmählich eine Abhängigkeit davon. »Das Evchen kann so toll Gedichte aufsagen«, sagte man über mich als Sechsjährige, »bestimmt wird sie später mal hervorragend vorlesen können!« Und das Evchen begriff seine Lektion. Es konnte gar nicht genug bekommen vom Lob, lernte immer mehr Gedichte, sang Lieder vor, sonnte sich in der Anerkennung. Es ist sogar gut möglich, dass ich Lob mit Liebe verwechselte. Auf jeden Fall aber war damit mein Weg vorgezeichnet, etwas zu leisten, um geliebt zu werden, mir Dinge anzueignen, die mir Bestätigung einbrachten.

Schnell trat ein Gewöhnungseffekt ein. In Erwartung von Lob und Zustimmung bildete sich eine zunächst unmerkliche Veränderung meines Verhaltens heraus. Aus den ersten spielerischen Anfängen und dem Stolz, etwas zu können, entwickelte sich eine wahre Anerkennungssucht. Befriedigt wurde sie durch immer intensivere, immer konzentriertere Arbeit und durch eine zunehmende Anpassung an die Erwartungen von außen – ein Ringen, das mich bis an den Rand der Selbstaufgabe brachte.

Es war ein langer und schmerzhafter Prozess, dieses Muster zu durchschauen. Erst als das Lob einmal ausblieb, wurde mir schockartig klar, welche Strategie ich unbewusst verfolgt hatte. Das Evchen hatte einmal nicht erfüllt, was andere von ihm erwartet hatten, und schon kippte das Bild.

Vorher schien die Welt völlig in Ordnung zu sein. Viele Jahre lang hatte mich eine Woge der Bestätigung und Bewunderung durch mein Leben getragen. Je größer allerdings der öffentliche Erfolg der »berühmten Moderatorin« wurde, desto weniger wagte man, Kritik an mir zu üben. Wenn es doch einmal geschah, stieg Ablehnung in mir hoch. Doch war mir die Sorte von Menschen, die anderen keine Kritik an der eigenen Person zubilligen, immer unheimlich gewesen. Selbst nun dazuzugehören war mir deshalb überhaupt nicht recht.

Erst allmählich setzte ein Selbstbeobachtungsprozess ein, und es kam die Frage auf: Schaffe ich es, negative Urteile auszuhalten, ohne mich selbst zu entwerten? Ist mein Selbst, mein »inneres Ich«, vielleicht doch etwas anderes als der schmeichelnde Spiegel, den mir andere permanent vorhalten? Existiert tief in mir eine innere Persönlichkeit, die auch dann noch wertvoll und liebenswert sein kann, wenn nichts »Lobenswertes« geleistet wird?

Erst in diesem Augenblick wurde mir bewusst, dass es möglicherweise Bereiche meines Selbst gab, die nicht durch Bestätigung existieren, sondern eigenständig funktionieren – und die ich sträflich vernachlässigt hatte. So begab ich mich auf die Suche nach meinem »inneren Selbst«, wurde sensibel dafür, wie Menschen mir begegneten: Mochten sie mich? Oder meine Arbeit? Schätzten sie mich oder meinen Erfolg?

Als Simone von meiner Entwicklung erfuhr, von meinen Krisen und Zweifeln, wurde sie erst nachdenklich, dann wütend. »Das innere Selbst?«, fragte sie. »Das habe ich nach außen gekehrt! Basta!« Daraufhin wollte ich von ihr wissen, was dieses Selbst für sie bedeutet, das sie sich zur Aufgabe gemacht hatte, es zu verwirklichen. Und ob Simone nicht letztlich einen Ich-Kult pflegte. War es etwa eine Religion des Selbst? Huldigte sie ihrem Ego gleich einem Götzenbild?

Niemals würde sie mit ihrem Freund eine Wohnung teilen, hatte sie mir nachdrücklich erklärt. Vermutlich, überlegte ich im Nachhinein, weil sie ahnt, dass sie dann eventuell mitunter mehr geben könnte, als sie bekommt, und das wäre fatal für ihr Ich. Das »Wir« klingt für sie wie eine Bedrohung. Das kostbare Ich muss beschützt, verwöhnt und gepflegt werden. Und wehe, jemand kommt ihr in die Quere und versucht, sie mit Bitten oder Forderungen zu bedrängen.

Deswegen geht Simone auch keine engeren Bindungen ein, denn Nähe bedeutet für sie, dass möglicherweise Grenzen überschritten werden, dass von ihr etwas erwartet oder verlangt wird, was sie nicht preisgeben möchte: Anteilnahme, Unterstützung, Hilfe zum Beispiel.

Dazu passt, dass sie auch bei Freundschaften darauf achtet, niemals mehr zu gewähren, als sie erhält. Im Grunde braucht sie keine Freunde, ihre Devise lautet: »Selbst ist die Frau.«

Unabhängigkeit ist deshalb neben der Selbstverwirklichung ihre zweite Leitidee. Ihre Bekanntschaften hält sie bewusst oberflächlich und unverbindlich. Man teilt Interessen, geht zusammen zum Sport oder ins Kino, auch hier würde ihr eine größere Nähe zu viel sein.

Sie berichtete, dass eine Bekannte gefragt hätte, ob sie, Simone, ihr beim Umzug behilflich sein könnte. Nein, dazu sah sie keine Veranlassung. Schließlich, das sagte sie mir, wird sie in den nächsten Jahren in ihrer Traumwohnung bleiben, eine Gegenleistung käme so schnell nicht in Betracht. Wozu dann die Mühe?

Allerdings erschloss sich im Laufe des Gesprächs auch eine andere Simone. Manchmal habe sie Sehnsucht, gab sie zu, doch sie wisse nicht so recht, wonach. Konkrete Lebensziele schwebten ihr nicht vor, eine Idee, was sie außer ihrer eigenen Person hegen und pflegen möchte, auch nicht. Einen Mann – lieber nicht, Kinder – auf keinen Fall. Simone möchte keine Verantwortung übernehmen, das wäre ihr unheimlich. Manchmal denkt sie über einen Kater nach. Viele Singles haben bezeichnenderweise Katzen, fiel mir ein, weil die so unabhängig sind, wie ihre Besitzer gern sein wollen. Katzen lassen sich eine Weile streicheln, und wenn sie genug haben, stolzieren sie einfach davon. Aber selbst ein solches Tier mache Dreck, Arbeit und koste Geld, gab Simone zu bedenken. Das lohne sich nicht für die paar Schmuseminuten. »Ich brauche meine Ruhe.«

Neulich pflanzte sie in der Dunkelheit ein paar Ziersträucher an der Grenze zum Nachbargrundstück ein, denn es störte sie, dass die Kinder aus dem Nebenhaus dort gegen Abend meist lautstark Fußball spielten, erzählte sie entnervt weiter. Als ich entsetzt reagierte, verteidigte sie sich mit der Erklärung, dass sie nun mal ein Recht auf einen erholsamen und daher geräuscharmen Feierabend habe.

Alle kennen wir solche Simones. Es werden immer mehr. Und in jedem von uns steckt vielleicht ein bisschen von ihr. Sie verkörpert das Lebensmodell von Frauen, die verinnerlichten, was ein paar Jahrzehnte Frauenbewegung uns vermittelt haben: Setz deine Interessen durch, verwirkliche dein Selbst, tue das ohne Rücksicht auf diejenigen, die dich dabei stören könnten oder sich sogar an dich binden wollen.

Aus der Idee der Selbstverwirklichung, die einmal etwas Befreiendes gehabt haben mag, ist längst eine Waffe geworden, denn für viele Frauen bedeutet sie: Verwirkliche dich *trotz* anderer Menschen, entwickle dich *gegen* den Widerstand derer, die dich als Frau sehen. Und ohne dass wir es bemerkt haben, meinen wir immer häufiger Egoismus, wenn wir von Selbstverwirklichung sprechen. Liebe, Aufopferung, Mitgefühl, Gemeinschaftssinn, all das ist damit nicht gemeint.

Wir alle kennen das, was der Feminismus propagierte: »Schwestern, wehrt euch, die Feinde lauern überall! Nie waren Frauen bislang frei! Löst euch von allem, was bisher war!« Wo solche Ängste herrschen, ist die Aggression nicht weit. Die Frau als Einzelkämpferin gegen eine hinderliche Umwelt, so meine Beobachtung, ist weder entspannt noch friedfertig. Überall wittert sie Ungerechtigkeiten, überall wacht sie peinlich genau darüber, dass sie bloß nicht zu wenig bekommt vom großen Kuchen.

Dadurch nehmen Frauen eine Haltung an, die sie zu »Zicken« macht, zu »Dragonern«, oft auch zu »Nervensägen«. Diese Frauen zeichnen sich dadurch aus, dass sie bei einer Bestellung im Restaurant mindestens fünf Extrawünsche haben, was Dressing, Beilagen oder Gewürze betrifft. Sie sind es, die den Umfang ihres Büros mit dem Lineal nachmessen, damit sie auch ja keinen kleineren Raum bekommen als der männliche Kollege. Die Autos zerkratzen, wenn sie einen Mann auf einem Frauenparkplatz entdecken – oder laut hupen, wenn ihnen das andere Geschlecht versehentlich die Vorfahrt nimmt. Und ebenso wähnen sie sich im Recht, wenn sie die Nachbarskinder daran hindern, fröhlich Fußball zu spielen.

Wer dauernd seine Wünsche und Bedürfnisse einklagt, kann weder großzügig noch gelassen sein. Die aufgestellte Kalkulation von Geben und Nehmen, von der sich viele Frauen leiten lassen, kann eine Weile ganz gut funktionieren. Doch was ist, wenn dieses System zusammenbricht, weil wir plötzlich nicht mehr geben können? Sollten wir zum Beispiel krank werden, können wir dann Hilfe annehmen, ohne unsere Würde zu verlieren? Ist es möglich, dass wir dann Dankbarkeit sowohl zeigen als auch empfinden können?

Die idealisierte Selbstverwirklichung erweist sich aber schon in weniger dramatischen Situationen als brüchig. Unser Alltag wäre unerträglich, wenn alle stets nur auf die Wahrung ihrer Rechte pochen würden. Da ist der freundliche Wirt, der sein Restaurant etwas länger geöffnet lässt, weil wir noch spät Hunger bekommen haben, und der uns das nicht spüren lässt, obwohl er eigentlich schon längst Feierabend hat. Oder die Kassiererin im Supermarkt, die geduldig lächelnd hinnimmt, wenn uns beim Bezahlen einfällt, dass wir die Butter vergessen haben und noch mal zum Kühlregal zurücklaufen. Es sind die kleinen Dinge mit großer Wirkung, die menschlichen Gesten jenseits von Soll und Haben, die unser Leben verschönern und erleichtern.

Wer jedoch permanent provozieren will, kommt nicht ohne einen streitsüchtigen Grundton aus, zumal Selbstverwirklichung etwas ist, das täglich neu erkämpft werden muss. Nie kann sie als endgültige Errungenschaft betrachtet werden, ständig ist zu überprüfen, ob das Selbst auch wirklich genügend Freiraum hat, ob es sich entfalten kann, ob es bedroht, ob es richtig präsentiert und wahrgenommen wird.

Merken Sie was? Richtig. Das erinnert an den Goldhamster im Laufrad, der rennt und rennt und auf der Stelle tritt, während er sich einredet, große Strecken zu bewältigen. Selbstverwirklichung ist ein Konzept ohne die Garantie eines Ankommens. Der Hunger nach Selbstbestätigung wächst daher ständig, ein verhängnisvoller Kreislauf beginnt, der falschen Ehrgeiz weckt. Wir haben sie deutlich vor Augen, jene Frauen, die sich geradezu verbeißen in ihren Job, die alle Überstunden und jede Entbehrung in Kauf nehmen, um minimal besser zu sein als der Kollege, um ein kleines bisschen mehr Selbstbestätigung zu bekommen als andere. Und alles nur deshalb, weil sie von dieser Droge abhängig geworden sind.

Das Verrückte daran ist: Mit Selbstverwirklichung hat das letztlich alles nichts mehr zu tun. Der Zwang, die Sucht nach mehr, zerfrisst uns. Wir können dem Diktat der Selbstbestätigung nicht entkommen, stattdessen opfern wir ihm immer größere Teile unseres Lebens, immer mehr Zeit, immer mehr Energie. Der Arbeitsplatz wird zum Lebensraum, die Kollegen werden zur Ersatzfamilie, die Freizeit ist nur noch ein Zwischenspiel, bei dem Kraft allein für noch mehr Arbeitsenergie gesammelt wird. Am Ende erscheint jeder Verweis auf Selbstbestimmung nur noch wie Hohn.

Auch Simone geht über ihre inneren Defizite hinweg, indem sie, wenn sie sich nicht gerade »belohnt«, nur noch mehr arbeitet. Viel mehr arbeitet. Oft sogar am Wochenende.

Mir kam das alles mehr als bekannt vor. Genauso war mein Leben viele Jahre lang gelaufen. Wenn andere Frauen mit ihren Männern ausgingen, schrieb ich Moderationen. Wenn Freundinnen sich zum monatlichen Gläschen Wein trafen, zeichnete ich eine Fernsehsendung auf. Und während mein Mann daheim auf mich wartete, besprach ich vielleicht das Konzept eines neuen TV-Formats. Frühdienst im Radio, Spätdienst im Fernsehen, und alles an einem Tag. Keine Seltenheit, damals, in den Anfängen meiner Berufszeit.

Niemals wäre mir der Gedanke gekommen, in Momenten des Zweifels oder wenn Beziehungen scheiterten, das Problem in meinem Arbeitsverhalten zu suchen. Alle Überlegungen kreisten immer nur um mich selbst. Dahinter verbarg sich nicht nur Egoismus, vielmehr sprach daraus eine tiefe Einsamkeit. Und die Gefahr, dass ich mich von meinen Mitmenschen isolierte, war groß, zumal wenn immer wieder die Pflicht rief. Das tut sie übrigens ständig, unerbittlich.

Auch wenn die vergangenen Jahre erheblich ruhiger und reflektierter verlaufen sind, spüre ich selbst heute noch hin und wieder das schlechte Gewissen, wenn ich mehrere Wochen Urlaub mache oder mit meiner Familie in ein verlängertes Wochenende fahre. Darf ich das? Wartet nicht irgendwo jemand auf meine Arbeitsleistung? Habe ich auch alles erledigt? Einfach nur zu entspannen, das Handy auszuschalten und nichts unter Beweis stellen zu müssen, Familiensinn pur zu erleben, das ist bei einem extrem arbeitsreichen Leben fast ein Ding der Unmöglichkeit.

In solchen Situationen hilft nur, sich bewusst zu machen, was einen von außen treibt und drängt, um zu spüren: Auch in Momenten des Nichtstuns und damit des Nichtsleistens kann ich mich akzeptieren und mögen. Im besten Fall kann man gar eine Kehrtwende vollziehen, die Sucht überwinden und die Freizeit in vollen Zügen genießen. Speziell für uns Frauen bedeutet das: Wir können dann unser Sein genießen, ohne das Gefühl zu haben, dem Über-Ich, der Leistungsgesellschaft, Rechenschaft ablegen zu müssen.

Es ist überaus wichtig für die mehrfach belasteten Evas der heutigen Zeit, sich diese Möglichkeit vor Augen zu führen. Das Selbstbild der einsamen Streiterin mündet sonst in den Kampf gegen sich selbst. Erst die Entdeckung der verdrängten und vergessenen Weiblichkeit führt heraus aus der Endlosschleife einsamen Ringens. Doch leider ist uns der Begriff »Weiblichkeit« inzwischen suspekt geworden. Dabei weisen Einfühlungsvermögen, Emotionalität und vorsichtiges Handeln, Wahrnehmungs- und Handlungsweisen unserer inneren Stimme also, andere Qualitäten auf als das männliche Spiel mit Taktik und Strategie. Doch wo ist unsere weibliche innere Stimme heute? Haben die Frauen all die Jahre nur deshalb so hart an sich gearbeitet, um letztlich so zielstrebig und rücksichtslos zu werden wie die Männer?

Die Erkenntnis von Soziologen und Psychologen, dass Frauen teamfähiger sind als Männer und dass sie durch ihre »weichen« Eigenschaften das Berufsleben erheblich menschlicher gestalten könnten, wird nur selten von den Frauen selber akzeptiert, geschweige denn praktisch umgesetzt. Die meisten wollen eben nicht »nur« Frau sein, sondern genauso durchsetzungsstark wie die männlichen Konkurrenten, immer auf der Hut und allzeit leistungsbereit. Politiker würden ihnen sogar bescheinigen, dass sie damit wacker für die Rente schuften und ihren Beitrag zu den Staatsfinanzen beitragen. Doch neben der Frage, ob uns Frauen diese Selbstverleugnung auf Dauer glücklich macht, müssen wir noch eine weitere stellen: Ist uns bewusst, dass wir – ob wir es wollen oder nicht – in einer Gesellschaft leben, die von uns nicht nur die Einkommensteuer erwartet, sondern beispielsweise auch Verantwortung, Gemeinsinn und Solidarität? Handeln wir richtig, wenn wir, stolz auf unsere Heldentaten, bekräftigen: »Jeder für sich selbst, der Staat für uns alle?« Wir ahnen längst, dass genau diese Haltung unsere Gesellschaft in die Krise geführt hat.

Das Gespräch mit Simone hat mich noch lange beschäftigt. Nach ihren anfänglichen Siegesmeldungen wurde für mich immer deutlicher spürbar, dass sie im Grunde ihres Herzens unzufrieden ist und dass sie schon sehr bald unglücklich sein wird. Obwohl sie sich doch so sehr anstrengt, sich die beste aller Lebensformen zu erschaffen.

»Ich mach mir die Welt, wie sie mir gefällt«, singt Pippi Langstrumpf. Psychologen wissen schon lange, dass dieses Lebensmotto kein Rezept fürs Glücklichsein ist, sondern eine Anleitung für puren Stress. Erprobte Rollen und Handlungsmuster dagegen schaffen Sicherheit, genauso wie feste Prinzipien und Werte. Der Philosoph Arnold Gehlen spricht in diesem Zusammenhang von »Entlastung«. Es handelt sich hierbei um einen einfachen Mechanismus: Wenn man etwa jeden Tag einen neuen Weg zur Arbeit oder zum Supermarkt ausfindig machen muss, bedeutet das eine Menge Anstrengung. Wer jedoch den Weg kennt und ihn, ohne nachzudenken, gehen kann, ist davon »entlastet«. Er hat den Kopf frei für wichtigere Dinge.

Das Gleiche gilt auch für die großen Lebensentscheidungen. Das Gebot der Flexibilität fordert uns jeden Tag neue Maßstäbe, neue Regeln, neue Werte ab, bis hin zum Persönlichkeitsverlust. Wer aber in seiner Rolle zu Hause ist und genau weiß, was ihm guttut und was nicht, ist entlastet. Wenn wir uns zum Frausein bekennen und unserer Weiblichkeit folgen, werden viele Entscheidungen wesentlich einfacher, weil sie vorgezeichnet sind. Die Gestaltung eines Heims, einer Partnerschaft, in der wir an der Seite eines Mannes segensreich wirken können, das Leben in einer Familie mit Kindern, die uns zwar einiges abverlangen, doch mindestens ebenso viel Lebenskraft, Glück und reiche Erfahrungen schenken – all das ist wichtiger als das quietschende Hamsterrad. Hier wird nur einem weiteren Opfer aufgelauert, das süchtig nach Erfolg werden soll.

Die Menschen haben sich noch bis zur Mitte des vorigen Jahrhunderts durch starre Konventionen eingeengt gefühlt. Heute ist es umgekehrt: Die scheinbar unbegrenzte Vielzahl der Möglichkeiten setzt uns ungeheuer unter Druck. Gerade Frauen kennen das: Soll ich die gut bezahlten Stelle in einer anderen Stadt annehmen, obwohl ich dann nur noch eine Wochenendehe führe? Soll ich mir ein paar Unterlagen mit nach Hause nehmen, obwohl mein Mann mit mir ins Kino wollte? Soll ich zu dem Fortbildungskurs fahren, obwohl mein Kind Geburtstag hat? Soll ich? Muss ich? Darf ich?

Meistens werden diese Überlegungen von massiven Selbstzweifeln begleitet. Je länger wir darüber nachdenken, was richtig oder falsch ist, desto unsicherer werden wir. Unsere Intuition, die helfende innere Stimme, wird längst überdeckt von der Herausforderung, immer neue ausgeklügelte Entscheidungen treffen zu müssen, die unser Berufsleben perfektionieren. Fehler können wir uns nicht leisten, denken wir. Was aber, wenn unser ganzes Lebenssystem ein einziger Fehler ist?

Immer mehr Menschen – vor allem immer mehr Frauen – verzweifeln an der Herausforderung, ständig auswählen zu müssen. Die Unsicherheit und Orientierungslosigkeit wächst. In der Sprache der Psychologen heißt die Lösung: »Komplexitätsreduktion«. Auf Deutsch: Vereinfache dein Leben. Aber wie? Nach welchen Grundsätzen? Was ist wirklich wichtig?

Seit Beginn der Emanzipation sind uns viele Werte abhanden gekommen, die uns entlasten könnten. Pater Anselm Grün hat einmal einen bemerkenswerten Satz geäußert, der mir lange nicht aus dem Kopf ging: Er wolle dazu beitragen, dass die Menschen »eine innere Freiheit erringen, sich nicht über Erfolg und Misserfolg zu definieren, sondern einen tiefen Grund finden, auf dem sie bauen können«. Dieser Grund kann aber nicht die Selbstverwirklichung sein, die ja wesentlich von Erfolg und Misserfolg abhängig ist, von der Außenwahrnehmung also, nicht von der Selbstwahrnehmung.

Das Christentum sieht einen Widerspruch, wenn es um Selbstverwirklichung und Nächstenliebe geht. Wer sein Ego zum Maß aller Dinge macht, verliert seine Mitmenschen aus dem Blick – sie sind nur noch Gegner oder werden zur Kulisse der Selbstinszenierung. An die Stelle übergeordneter

Ideen, an die Stelle von Fragen nach dem Sinn des Seins tritt das Hier und Jetzt, das Gerangel um den schnellen Sieg. Wer braucht noch andere, wenn er glaubt, alles aus sich heraus bewältigen zu können? Wer ist noch auf Gott angewiesen, wenn er sich selbst auf den Thron setzt und das Göttliche in sich zu tragen meint? Wenn man das Konzept der Selbstverwirklichung wirklich ernst nimmt, kann man weder einen Gott noch ein Jenseits akzeptieren. »Ich will alles, und zwar sofort!«, lautet dann das Credo.

Die Zuwendung zu anderen, das Aufbauen von Beziehungen, Familienmitglieder und Freunde, die uns nicht an unserem beruflichen Erfolg (oder Misserfolg) messen, ein Leben, das auch vom Ich absehen kann, all das sind christliche und auch humanistische Grundgedanken, die ein wahres menschliches Miteinander erst ermöglichen. Und die nicht zuletzt auch bei uns selbst für Zufriedenheit und Ausgeglichenheit sorgen.

Wer das nur für eine nett gemeinte »Gutmensch-Theorie« hält, der irrt. Altruismus, also selbstlose Hilfe und Anteilnahme, kann wirklich glücklich machen. In den USA fand vor einigen Jahren ein Aufsehen erregender Versuch statt. Der Dalai Lama hatte acht seiner tibetanischen Mönche in ein Hirnforschungslabor geschickt. Sie wurden nacheinander in die Röhre eines Magnet-Resonanz-Tomographen geschoben, ein Gerät, das unter anderem die Gehirntätigkeit misst. Vorher bat man die Mönche, sich geistig in einen Zustand des »vorbehaltlosen Mitgefühls« zu versetzen. Bei allen acht Mönchen ergab sich ein übereinstimmendes Bild: Man beobachtete eine stark erhöhte Aktivität in der linken Stirnhälfte. Und das bedeutet, so die Forscher, dass sich die

Versuchspersonen in einer fast euphorischen Grundstimmung befanden.

Wir alle kennen diese heiteren, gelassenen Gesichter tibetanischer Mönche, die bekanntermaßen ihr Ego überwunden haben und sich dem Dienst am Mitmenschen widmen. Nun war die überwältigende Kraft von Empathie sogar mit den Messinstrumenten der modernen Forschung bewiesen worden.

Man muss kein tibetanischer Mönch sein, um derartige positive Kräfte zu empfinden. Sie schlummern in jedem von uns und kommen zum Ausdruck, wenn wir uns einmal aufraffen, für andere da zu sein und zu wirken. Der aufschlussreiche Versuch zeigte letztlich auch, wie wir uns selbst schaden, wenn wir uns gedankenlos auf den Ich-Trip begeben. Sicher, er mag uns einige grandiose Glücksmomente bescheren. Freude, Gelassenheit oder eine dauerhaft positive Grundstimmung schenkt er uns jedoch nicht.

Natürlich ist mir bewusst, dass man in unserer materialistisch ausgerichteten Gesellschaft als wirklichkeitsferner Weltverbesserer gilt, wenn man nicht Erfolg, sondern Demut und Nächstenliebe als Werte propagiert. Doch wir müssen nur in die leuchtenden Gesichter von Menschen schauen, die die innere Freiheit haben, auch für andere da zu sein, und nicht dauernd darauf bedacht sind, »etwas für *sich* zu tun«. Da sind Schulkinder, die mit Feuereifer Weihnachtspäckchen für Mädchen und Jungen in der Dritten Welt packen. Jugendliche, die freiwillig an ölverseuchten Stränden Seevögel retten, wenn ein Tanker verunglückt ist. Mütter, die für das Schulfest ein Büfett vorbereiten. Rentner, die sich ohne Entgelt um Obdachlose kümmern und ihnen regelmäßig Essen bringen. Sie alle verbreiten eine Freude, die aus dem Geben kommt, nicht aus dem Nehmen. Sie wissen, dass sie etwas Sinnvolles tun, das lange wirkt, das ausstrahlt und auf den Gebenden zurückstrahlt.

Gerade in einer Situation, die uns alle mit wirtschaftlicher Unsicherheit bedroht, ist es dringend notwendig, die heute weit verbreitete Ich-Ideologie in Frage zu stellen. Aber wer zudem behauptet, dass besonders wir Frauen Gaben und Talente haben, uns für andere zu engagieren, der gilt nicht nur als wirklichkeitsfremd, der ruft gleich eine ganze Armee von Kritikern auf den Plan.

Trotzdem führt kein Weg an dieser Debatte vorbei. Wir Frauen sind, wie gesagt, anders als Männer. Wir wurden vom Schöpfer mit unterschiedlichen Aufträgen in diese Welt geschickt. Das weibliche Auge erkennt schneller, wo Hilfe nötig ist, wo jemand unsere Unterstützung braucht. Wir haben viel zu geben, aber stattdessen weigern wir uns immer häufiger, diese Fähigkeit zu leben – und dabei Glück zu empfinden.

Getarnter Arbeitszwang

Im Rahmen dieser Diskussion ist es unumgänglich, eine Wahrheit auszusprechen, die so gar nicht zum heldenhaften Begriff der Selbstverwirklichung passt: Oftmals ist er nur ein Deckmantel für wirtschaftliche Zwangslagen, die Frauen ungewollt in belastende Arbeitsverhältnisse drängen. Es gibt nicht nur Frauen wie Simone, die dem Ich-Zeitgeist folgen. Es gibt Millionen anderer Frauen, die keine Gelegenheit auslassen, von Selbstverwirklichung zu sprechen, weil sie sich schämen, den wahren Grund für ihre Berufstätigkeit zu nennen: Existenzangst, unmäßig gesteigerter Lebensstandard, Verschuldung.

Wenige Frauen wagen es zu bekennen, dass sie und ihre Familien in Not geraten sind. Oft unverschuldet, häufig jedoch auch wegen einer entgleisten Lebensplanung. Wir treffen sie täglich, auf dem Spielplatz, im Supermarkt, beim Babyschwimmen: Frauen, die tapfer behaupten, sie fänden es aufregend, in ihrem angeblich hochinteressanten Job zu arbeiten. Frauen, die beteuern, sie langweilten sich nun mal zu Hause und hätten Spaß daran, immer neue Herausforderungen anzunehmen. Erst wenn man an dieser schönen Oberfläche kratzt, wenn man intensiver nachfragt, offenbart sich nicht selten eine Tragik: Mutter muss mitarbeiten, weil es sonst nicht reicht; die Kinder sind sich selbst überlassen oder werden weggeschickt, abends sitzt die Familie erschöpft und stumm vor dem Fernseher. Familienleben? Fehlanzeige. Aber es steht ein neues Auto vor der Tür, und der nächste Urlaub ist gesichert: Mama macht's möglich.

Die gesellschaftlich anerkannte Ideologie der Selbstverwirklichung erleichtert es, diese Umstände zu verschleiern, zu verschweigen, dass der Lebensstandard teuer erkauft ist – mit der Abwesenheit der Mutter, die sich in ihrer Doppelrolle aufreibt.

Wir wissen es doch alle: Unsere Konsumgesellschaft erzeugt unbegrenzte Begehrlichkeiten, und es wird uns vorgegaukelt, dass wir alles haben könnten und müssten. Am ehesten, wenn beide Partner arbeiten, notfalls auf Kredit. Da passt es wunderbar, wenn uns nahe gelegt wird, Frauen zu bewundern, die Familie und Arbeit vereinbaren. Umgekehrt argwöhnen wir, dass so genannte Nur-Hausfrauen den lieben langen Tag Kaffee trinken und sich die Fingernägel lackieren.

Mittlerweile zieht auch die Politik nach. Im Frühjahr 2006 veröffentlichte das Bundesfamilienministerium eine große Familienstudie. Darin wurde behauptet, dass Hausfrauen nur einen verschwindend kleinen Teil ihrer Zeit mit Kinderbetreuung und Hausarbeiten verbrächten, ansonsten ihre Zeit mit Freizeitaktivitäten vertändeln würden. »Hedonismus« sei das, mithin ein Leben nach dem Lustprinzip, befand die Familienministerin, eine berufstätige Mutter mit sieben Kindern. Und schon hatten wir es amtlich: Frauen, die nicht arbeiten, leben wie die Made im Speck, sie gehen zum Yogakurs, statt die Schulaufgaben ihrer Kinder zu beaufsichtigen, sie entspannen sich im Kino, statt die Wäsche zu waschen. Auf gut Deutsch: Sie faulenzen herum.

Schlagartig wurde klar, was hier zum politischen Leitprinzip des 21. Jahrhunderts ausgerufen wurde: Frauen sollen gefälligst arbeiten, sonst sind sie Drohnen, die sich auf Kosten anderer ein schönes Leben machen. Der Protest und die Empörung, die dieser reichlich gedankenlosen Äußerung einer Ministerin folgten, ließen mich aufatmen. Endlich regte sich Widerstand gegen die Diffamierung von »Nur-Hausfrauen«, anscheinend spüren immer mehr Frauen, dass sie massiv unter Druck gesetzt werden sollen.

Noch Mitte des 20. Jahrhunderts erwähnten Männer gern: »Meine Frau muss nicht arbeiten.« Und meinten damit, dass ihre Frauen im geschützten häuslichen Raum bleiben, sich um Mann und Kinder kümmern konnten. Heute lacht man über diesen Satz. Er gilt nur noch als Beweis für peinliches

Machogehabe. Sicher, auf den ersten Blick könnte man meinen, dass diese Aussage lediglich einen Status behaupten soll: »Seht her, ich habe es nicht nötig, dass meine Frau mitverdienen muss!« Übersehen wird dabei, dass der Satz auch noch eine andere Auskunft enthält: »Ich tue alles, dass meine Frau nicht gezwungen ist, zu arbeiten; ich übernehme die volle soziale und finanzielle Verantwortung für meine Familie.«

Eine überholte Vorstellung? Leider haben viele Männer heute verinnerlicht, dass Frauen eine Kapitalquelle sind. Die Partnerinnen werden zum Faktor wirtschaftlicher Überlegungen, was die Lebensplanung betrifft. Und je mehr die »Nur-Hausfrauen« als Faulenzerinnen schlechtgeredet werden, die zu bequem oder zu dumm sind, das Familieneinkommen aufzustocken, desto stärker werden Frauen in die Defensive gedrängt. »Ach, Sie arbeiten gar nicht? Ist Ihr Kind nicht schon im Kindergarten? Was machen Sie denn den lieben langen Tag?« Solche Fragen müssen sich all jene Frauen gefallen lassen, die sich mit all ihrer Energie bemühen, ihre Partnerschaft zu pflegen, die Entwicklung ihrer Kinder liebevoll zu fördern, gesund und vollwertig zu kochen, die Wohnung in Ordnung zu halten, ein offenes Haus für Freunde und Bekannte zu bieten. Das Gegenmodell kennt jede berufstätige Frau und Mutter: eine ständige Zerreißprobe, um Arbeit und Familie gleichermaßen gewissenhaft zu bewältigen, andauernder Zeitdruck, Fertigmahlzeiten, Überforderung, Ohnmachtgefühle.

Doch diese unvermeidlichen Nebenwirkungen passen nicht in das Gesamtbild der erfolgreichen, tüchtigen, allzeit bereiten Supermutter, die zwischen Kinderarztbesuch und Einkauf noch schnell einen Geschäftstermin erledigt und morgens am Schreibtisch heimlich überlegt, wie sie in der Mittagspause das Geburtstagsgeschenk für ihren Jüngsten besorgt.

Wer zugibt, dass dieses Leben zu anstrengend ist und uns überfordert, wer seine Zweifel äußert, ob die Kinder dabei nicht zu kurz kommen und ob der Mann abends noch eine liebevolle Gefährtin vorfindet, gilt als Verliererin. Da ist es viel schicker, von Selbstverwirklichung zu reden. Das gilt auch für viele Männer. »Sie braucht das«, antworten sie gern, wenn sie auf die Berufstätigkeit ihrer Frau angesprochen werden. Gemeint ist: »Wir brauchen das Geld.« Es ist überfällig, mit dieser Lebenslüge aufzuräumen. Wir Frauen – und damit auch unsere Gesellschaft – sind diesem Druck nicht mehr gewachsen. Man kann verstehen, dass arbeitende Frauen sich häufig gar nicht mehr zutrauen, noch Kinder zu bekommen.

Was aber ist mit jenen, die aus purer Überlebensnot berufstätig sein müssen, nicht nur Geld verdienen müssen, um das neue Auto oder den nächsten Urlaub zu finanzieren? Hier muss die Politik sich Gedanken machen, muss diesen Frauen grundsätzlich entgegenkommen und Mutterschaft auch unter extremen Bedingungen bezahlbar machen, allerdings nicht nur um den Preis einer frühen Trennung von Mutter und Kind. Ob es dabei allein mit einem zeitlich begrenzten Elterngeld getan ist, bleibt zweifelhaft.

Bei meinen Überlegungen habe ich besonders die jungen Frauen im Blick. Gemeint sind jene Anfang Zwanzigjährigen, die sich in diesem Moment fragen, wie sie ihr Leben gestalten möchten. Sie gehören der ersten Generation an, die sich den Forderungen der Feministinnen und dem unerbittlichen Diktat der Arbeitspflicht entziehen könnten. Oft sind sie nicht mit überzeugenden Argumenten gewappnet, sollte ihr zukünftiger Ehepartner selbstverständlich davon ausgehen, dass sie berufstätig sein sollten – ein Leben lang, mit oder ohne Kinder.

Niemand ist davor geschützt, aus wirklicher Existenznot arbeiten zu müssen. Doch wir brauchen eine Diskussion, um die Wohlstandsverelendung, den ideologischen Zwang zur Frauenarbeit, der zu wenige Spielräume lässt, um sich für die Familie entscheiden zu können. Sonst sitzen in wenigen Jahrzehnten nur noch Greise in ihren endlich abbezahlten Reihenhäusern und fahren mit ihrem neuen Wagen durch Straßen, in denen kein einziges Kind mehr spielt.

Selbstentwertung durch Arbeit

Und was ist aus Simone geworden? Kurze Zeit nach unserem Treffen zog sie in eine andere Stadt, dort hatte man ihr einen noch lukrativeren Job angeboten. Ihre neue Adresse gab sie mir nicht. Schade. Es wäre sicher interessant gewesen, sich ein paar Jahre später noch einmal mit ihr zu unterhalten. Als wir uns damals voneinander verabschiedeten, fragte ich sie auf der Straße, ob Selbstverwirklichung denn automatisch Arbeit bedeute. Sie sah wieder auf die Uhr, dann sagte sie: »Was denn sonst? Soll ich etwa töpfern?«

Auch diese Reaktion stimmt nachdenklich. Ist es denn wirklich so zwingend, dass wir immer an eine Berufstätigkeit denken, wenn wir von Selbstverwirklichung sprechen? Warum kann man nicht auch Kindererziehung, Bergwandern oder ehrenamtliches Engagement damit verbinden?

Den Grundstein zu einer Theorie, dass Berufstätigkeit zur Selbstentfaltung unverzichtbar sei, eine Theorie, durch die Millionen Frauen auf einen Irrweg geführt wurden, legte übrigens keine Feministin. Es war ein Mann. Und zwar nicht irgendeiner, es war – Karl Marx. Ein Denker, in dessen Namen ohnehin schon unendlich viel Unheil über die Welt kam.

»Der Mensch verwirklicht sich nur mit all seinen Fähigkeiten, wenn er arbeitet«, befand er. Damit verknüpfte er Erwerbsarbeit mit Selbstverwirklichung und lieferte ein Denkmodell, das uns bis heute in eine Fessel zwingt. Die Folgen waren dort, wo der Marxismus zur Staatsform erhoben wurde, besonders eindringlich zu sehen: Frauen in sozialistischen Ländern wurden nicht gefragt, ob sie berufstätig sein wollten oder nicht. Sie mussten es tun, und parallel wurde flächendeckend die staatliche Kinderbetreuung aufgebaut. Systematisch wurden die Kinder den Eltern entzogen, schon wenige Wochen alte Babys mussten in der Krippe abgegeben werden, damit die Arbeitskraft der Mütter nicht »vergeudet« wurde.

Selbst in Staaten, in denen der Kommunismus in gemäßigtere Regierungsformen überging, wurde die Arbeit-Kindversorgungs-Ideologie beibehalten, am strengsten sicherlich in China. In Shanghai beispielsweise sind Eltern gezwungen, ihr Kind an den Wochentagen in Internate zu geben, damit sie keine Zeit »verlieren« und sich uneingeschränkt auf ihre Jobs konzentrieren können. Nur das Wochenende darf der Nachwuchs zu Hause verbringen. Ein Umstand, der für verheerende seelische Schmerzen sorgen wird – innerhalb eines ganzen Volkes.

Von solchen Verhältnissen sind wir zum Glück weit entfernt. Noch. Denn auch in Deutschland wird lauthals gefordert, es müssten endlich genug Krippenplätze geschaffen werden, damit die Mütter nach der Entbindung so schnell wie möglich wieder an ihren Arbeitsplatz zurückkehren können. Es wird als Missstand bewertet, so das Familienministerium, wenn nur etwa die Hälfte aller Mütter wieder dauerhaft in den Beruf zurückkehrt. Niemand scheint auf die Idee zu kommen, dass dies ja auch wünschenswert sein könnte. Stattdessen klagen gerade Politikerinnen darüber, dies sei ein Beweis für die Rückständigkeit unserer Gesellschaft.

Wenn man ihnen sagen würde, dass sie mit ihrer Familienpolitik im Begriff sind, ein sozialistisches Menschenbild durchzusetzen, wären sie sicherlich empört. So absurd es auch erscheint, aber sowohl ihre Argumente als auch ihre Pläne beruhen auf einer marxistischen Weltsicht. Denn sie gehen ganz selbstverständlich davon aus, dass es entwürdigend ist, wenn Frauen sich einzig um ihre Familie kümmern, statt berufstätig zu sein und Geld zu verdienen. Selbstverwirklichung bedeutet Arbeit, das ist auch ihr Grundsatz – Karl Marx hätte seine Freude daran, wie wirkmächtig noch immer seine Theorie ist. Auch wenn die Konsequenzen fatal sind.

Selbstverwirklichung ohne Egoismus

Eine der berührendsten Reaktionen auf den *Cicero*-Artikel im Mai 2006 war ein Brief, der mich aus Bayern erreichte. Darin erzählte eine Mutter, wie sie zunächst orientierungslos einem erfüllten Leben hinterherjagte, voller Selbstzweifel und Minderwertigkeitsgefühle: »Die Suche nach Harmonie in meinem eigenen Leben hat mich von Beruf zu Beruf getrieben.

Ich habe mich sogar jahrelang verzweifelt gefragt, warum ich nicht das Abitur habe, um studieren zu können, weil ich dachte, dort läge mein verborgenes Glück begraben. Ich fühlte mich unnütz, nicht als vollwertiges Mitglied unserer Gesellschaft, wollte etwas Besonderes sein und wusste nicht, was.«

Damit nicht genug. Sie geriet in das Dilemma, das alle Frauen mindestens einmal erleben: »Dann kam die biologische Uhr, die mich mit sechsundzwanzig Jahren anfing zu mahnen, und damit ein neuer Zwiespalt: Machst du jetzt etwas aus deinem Arbeitsleben, gehst du zur Schule und holst das Abitur nach oder kriegst du Kinder? Es war furchtbar, wie ich mich deswegen verrückt gemacht habe. Was ist mit meiner beruflichen Zukunft? Was ist mit meinem Einkommen, das dann wegfällt?«

Spätestens jetzt erschien mir der Brief spannend wie ein Krimi, dessen Ende ich entgegenfieberte: Wie würde sie sich entscheiden? Wie würde sie ihre nahezu übermächtigen Probleme lösen?

»Letztes Jahr saß ich entspannt in unserem Garten im Liegestuhl«, schrieb sie weiter. »Ich war so glücklich und frei, dass ich das Gefühl hatte zu schweben. Ein Zustand, den ich immer öfter und dauerhafter empfinde. Und das, obwohl mein Mann zwei Jahre arbeitslos war, wir viele Schulden und wenig Geld hatten (und noch haben), nur zur Miete in einem alten Bauernhaus wohnen und ein zwölf Jahre altes Auto fahren. Trotzdem, ich saß im Garten und dachte: Alles, was ich zu meinem Glück brauche, liegt genau vor mir.«

Man konnte die Idylle förmlich vor sich sehen. Doch was war der Grund für dieses Happyend? Was hatte ihr Leben so glückhaft verändert? »Ganz einfach: Mein Mann und unsere große Tochter, die zusammen im Sandkasten spielten, der Garten und unser wunderschönes, gemütliches altes Haus mit dem netten Vermieter, zu dem unsere Große ›Onkel‹ sagt. Das kleine Dorf mit den freundlichen, offenherzigen Leuten, die uns vor fünf Jahren so nachbarschaftlich in ihre Mitte aufgenommen haben. Und vor allem: Das neue wachsende Leben in meinem Bauch, das so lebhaft strampelte und Anfang September dann gesund und munter zum ersten Mal in die Welt gespäht hat mit viel Radau. Wir sind jetzt so weit, dass wir in zwei, drei Jahren noch ein drittes Kind bekommen werden, wenn alles gut geht. Ich meine gesundheitlich, nicht finanziell.«

Wen würde diese eindringliche Schilderung nicht berühren? Was diese Frau aufgebaut hat, trotz aller Zweifel, trotz aller vorgegebenen Gegenentwürfe, hat mich tief beeindruckt. Ihr Brief schließt mit den Worten: »Ich bin heute stolz darauf, eine zweifache Mutter zu sein. Ich fühle mich, als hätte ich nach langer Suche endlich meinen Platz im Leben gefunden. Ich bin jeden Tag dankbar dafür, dass ich diese Entscheidung getroffen habe.«

Wie sehr hat sich diese bewundernswerte Frau von der Treibjagd nach Selbstverwirklichung entfernt. Und wie einfach ist ihr Leben geworden, sicherlich nicht problemfrei und wohl auch nicht ohne Ängste und Nöte, allerdings im Bewusstsein, das Richtige zu tun. Fest steht auch, dass sich ihre Entscheidung positiv auf den weiteren Verlauf aller Familienmitglieder auswirken wird.

So wird plötzlich ein neuer Blick möglich, was Selbstverwirklichung auch bedeuten kann. Ist es nicht an der Zeit, diesem Begriff seine Schärfe und Aggressivität zu nehmen, ihn umzuwerten und mit mehr Menschlichkeit zu versehen? Das Beispiel der zweifachen Mutter mag ein Einzelfall sein, ein Ergebnis persönlicher Lebensumstände. Nicht jeder wird es ihr gleichtun können. Dennoch wird für mich darin der Gegenentwurf zur Ich-Gesellschaft erkennbar. Hier zeigt sich eine neue weibliche Klugheit, mit der die Familie wieder ins Zentrum des Bewusstseins rückt.

Es ist das Eva-Prinzip. Es drückt Hoffnung aus, Lebensfreude, einen Sinn für Werte. Es verbindet uns Menschen ohne die Frage nach einem bestimmten Entgelt. Es schenkt Liebe und Sicherheit, Treue und Zuverlässigkeit. Verabschieden wir uns vom Ich. Wir Frauen haben alle Gaben, die wir dafür brauchen. Wir müssen nur den Mut haben, sie zu entdecken und sie zu leben, wie diese Mutter aus Bayern. Dann verwirklichen wir – uns. Mit allen unseren weiblichen Fähigkeiten.

2
Der geleugnete Unterschied – warum Eva nicht Adam ist

Dreizehn Jahre war ich alt, als die große Chance meines Teenagerlebens winkte: eine Rolle bei einer Theaterlaienspielgruppe der katholischen Kirche. Das war 1971, und das Stück hieß *Mugnog-Kinder*. Meine Aufgabe war es, in einer lustigen Latzhose von einer Mülltonne herunterzuspringen und mit lauter Stimme ein Lied zu singen. Der Refrain lautete:

Mädchen sind genauso schlau wie Jungen,
Mädchen sind genauso frech und schnell.
Mädchen haben so viel Mut wie Jungen,
Mädchen haben auch ein dickes Fell!

Feuer und Flamme war ich, diese Herausforderung zu bestehen. Aber ganz ehrlich: Damals war mir schon klar, dass der Text nicht stimmte. Zwar hopste ich bei der Aufführung tapfer von der Tonne, ohne mir die Knochen zu brechen, jedoch beileibe nicht mit einem eleganten Sprung. Ein Junge hätte das viel besser gemacht. Und die einzige Zeile des Liedes, die mir damals vollen Herzens über die Lippen kam, bestand aus den ersten sechs Worten: »Mädchen sind genauso schlau wie

Jungen.« Alle anderen Talente wie Mut, Schnelligkeit und Dickhäutigkeit konnte man getrost dem anderen Geschlecht zuordnen, fand ich.

Doch diese Meinung behielt ich wohlweislich für mich, wichtig war mir allein die Rolle. Schließlich war sie doch ein Meilenstein, um mich in meiner Theaterarbeit zu verwirklichen. Die Wahrheit schien in diesem Moment nebensächlich. Deswegen trat ich betont forsch auf, stellte mir einen Klassenkameraden vor, der für sein Selbstbewusstsein und seine Schlagfertigkeit bekannt war, und versetzte mich in ihn hinein. Mit dieser Strategie stand ich »meinen Mann«. Es war möglicherweise der erste Schritt in jene Welt, in der Karrierefrauen gegen ihre männlichen Kollegen kämpfen – mit den Waffen der Männer.

Warum diese Geschichte? Ganz einfach: um über den folgenreichen Unterschied zwischen Adam und Eva zu sprechen. Darüber, dass Mann und Frau nicht gleich sind, sondern unterschiedliche Fähigkeiten und Bestimmungen haben und daher auch für verschiedene Aufgaben geschaffen wurden. Eigentlich müsste das eine Binsenwahrheit sein. Doch wir neigen heute dazu, das Männliche und das Weibliche entweder in Konkurrenz zu sehen oder es zu leugnen. Beide Auffassungen sind ebenso falsch wie verhängnisvoll. Denn das männliche und das weibliche Prinzip ergänzen einander bestens. Akzeptiert man diese Tatsache nicht, wie viele Männer und Frauen heute, kommt es zu typischen Fehlentwicklungen, auf persönlicher wie auch gesellschaftlicher Ebene.

Dabei könnte alles ganz einfach sein: Schon rein äußerlich betrachtet sind Mann und Frau unterschiedlich angelegt. Der

Mann ist kräftiger, stärker, behaarter, die Frau ist dagegen zarter und zierlicher gebaut, körperlich schwächer. Auch unsere Fortpflanzungsorgane sind kaum identisch zu nennen und haben Aufgaben zu erfüllen, die niemandem erklärt werden müssen – wir wissen, dass Männer zeugen und Frauen empfangen, keine medizinische Manipulation oder politische Ideologie kann dieses Naturgesetz außer Kraft setzen.

Mittlerweile ist Loriots Ausspruch: »Männer und Frauen passen einfach nicht zusammen!«, zu einem geflügelten Wort geworden. Vergessen wird jedoch meist seine anschließende Bemerkung, dass sich Mann und Frau gerade deshalb faszinierend finden. Gegensätze ziehen sich nun mal an, das weiß von jeher auch der Volksmund. Und wir können davon ausgehen, dass der Schöpfer einen überaus sinnvollen Plan hatte, als er nahezu der gesamten Natur das Prinzip der Zweigeschlechtlichkeit verpasste, ein funktionierendes System, das vor allem dem Überleben diente.

Die Ideologie der Gleichheit

Mann und Frau sind gleich, und wenn sie es nicht sind, müssen sie gleich gemacht werden: Diese These gehört zu den verhängnisvollsten Behauptungen unserer Gegenwart. Man könnte sogar sagen, dass daraus eine Ideologie entstanden ist, die alle Bereiche der Gesellschaft erfasst hat. Die Vorstellung stammt aus den sechziger Jahren, als man feststellte, auch – und gerade – das Private sei politisch. Das war nicht unbedingt falsch, doch die spätere Ausweitung des Politischen auf das Verhältnis der Geschlechter enthielt einige

Denkfehler. Freiheit, Gleichheit, Brüderlichkeit? Konnte das mit aller Konsequenz für Mann und Frau gelten?

Als schließlich in den sechziger und siebziger Jahren die Sozialwissenschaften nahe legten, wir Menschen könnten durch Erziehung und Milieu von Grund auf verändert werden, kam es zu erhitzten Diskussionen. Fast nichts sei von der Natur vorbestimmt, so die revolutionär klingende Überzeugung; alles galt plötzlich als formbar, selbst die Geschlechterrollen von Mann und Frau. Viele jubelten: Das bedeutet Gerechtigkeit! Und Chancengleichheit, ganz gleich, ob schwarz oder weiß, Mann oder Frau!

Dies war das Fundament, auf dem auch die sich damals formierende Frauenbewegung baute. Denn die neu verkündete Gleichheit wischte alle Thesen von der Tafel, die Psychologen und Analytiker in der Tradition Sigmund Freuds über die Natur des Weiblichen aufgestellt hatten – über diese hatte sich Alice Schwarzer dann auch noch nachträglich in ihrem Buch *Der »kleine Unterschied« und seine großen Folgen* beklagt: »Anstatt die Instrumente, die ihnen zur Verfügung stehen, zu nutzen, um aufzuzeigen, wie Menschen zu Männern und Frauen deformiert werden, machten sie sich zu Handlangern des Patriarchats. Sie wurden der Männergesellschaft liebster Einpeitscher beim Drill zur Weiblichkeit.«

Damit sollte es nun ein Ende haben. Der Sieg der Kultur über die Natur schien nahe – und damit der Sieg der Erziehung über das angeborene Geschlecht. Mich hatte das als Teenager zuversichtlich gestimmt. Ich kann einfach alles erreichen, dachte ich in dieser Zeit, ganz egal ob ich ein Junge oder Mädchen bin! Diese Überzeugung war es auch, die mir bei meinem Laienspielauftritt Selbstsicherheit gab, selbst wenn ich leise Zweifel an meinen »männlichen Talenten« hatte.

Heute gehört die Gleichheit der Geschlechter zum Selbstverständnis unserer Gesellschaft. In der so genannten Wissensgesellschaft, auf die wir so stolz sind, regiert die Vernunft, alles scheint machbar und damit auch veränderbar. Der Mensch will die Fäden in der Hand behalten und über alles entscheiden können. Aber sind solche Vorstellungen nicht letztlich von menschlichen Allmachtsansprüchen geprägt? Entsprechen sie überhaupt den heutigen wissenschaftlichen Fakten? Sind sie vereinbar mit den Gesetzen der Natur? Die Antwort: Sie sind es nicht! Die Diskussion darüber, ob man Frauen und Männer gleich machen könne, ist vom naturwissenschaftlichen Standpunkt aus beendet. Frauen, die ihr Lebenskonzept danach ausrichten, verrennen sich in folgenschwere Irrtümer.

Auch wenn die unbegrenzte Selbsterschaffung des Menschen eine verführerische Idee der Moderne ist, die Biowissenschaften können auch nach vierzig Jahren intensiver Forschung keinen Vorrang der Erziehung über das angeborene Geschlecht verkünden. Sie räumen zwar ein, dass uns kulturelle Einflüsse steuern und formen, geben aber auch zu, dass unsere menschliche Natur nicht grundsätzlich verändert werden kann.

Die Tatsache, dass in den siebziger Jahren die charakteristischen Geschlechterrollen grundsätzlich in Frage gestellt wurden, war nicht nur dem Modefach der Soziologie zu verdanken oder der intensiv betriebenen Feminismusdebatte. Es passte auch bestens in die gesellschaftspolitische Landschaft. Das Wirtschaftswunder hatte in Deutschland zu einem konjunkturellen Höhenflug geführt. Daraus ergab sich ein Problem: Arbeitskräfte waren rar. Deshalb hatte man schon einige Jahre zuvor die ersten Gastarbeiter ins Land geholt, um den zunehmenden Bedarf zu decken.

Doch auch die Frauen waren jetzt gefordert. Wenn es zu wenig Erwerbstätige gab, was lag da näher, als sie in den Arbeitsmarkt einzugliedern? Dafür mussten Voraussetzungen geschaffen werden, die sich nicht nur in besseren Ausbildungsmöglichkeiten erschöpften. Die berufstätige Frau musste als neues gesellschaftliches Leitbild propagiert werden. Arbeit durfte für Frauen kein Makel mehr sein, sondern eine Selbstverständlichkeit.

Der Feminismus mit seinen Selbstverwirklichungsträumen und der Behauptung einer grundsätzlichen Gleichheit von Mann und Frau kam unter diesen Voraussetzungen wie gerufen. Eine emanzipierte Frau, so hieß es plötzlich, dürfe nicht zu Hause herumsitzen und Brei fürs Baby kochen, sie müsse hinaus ins Berufsleben, um sich zu beweisen. Mehr noch: Weibliche Rollenmuster wie das der Ehefrau und Mutter wurden abschätzig beschrieben, sie galten nun als rückständig, als wenig progressiv.

Alles, was die Hausfrau zu ihrer Verteidigung hätte heranziehen können, wurde abgeurteilt. Als die CDU in den siebziger Jahren ein so genanntes »Hausfrauengehalt« vorschlug, um den Status von Hausfrauen aufzuwerten, hielt Alice Schwarzer im *Kleinen Unterschied* fest: »Ein solches Hausfrauengehalt würde die Autonomiebestrebungen von Frauen schwer behindern und sie außerdem erneut an ihre ›Frauenpflichten‹ fesseln. Gerade jetzt, wo Frauen immer weniger bereit sind, sich in ihrem häuslichen Gefängnis zu begnügen, würde ihnen eben dieses Gefängnis mit einem Hausfrauenlohn versilbert und trügerisch erneut attraktiv gemacht.« Anders gesagt: Frauen sollten sich von ihrem Hausfrauendasein lösen, einen Weg zurück dürfe es nicht geben.

Ein grausamer Irrtum

Die Feministinnen waren sich also einig, dass Männer und Frauen grundsätzlich gleich seien und nur die Erziehung darüber bestimme, wie männlich oder weiblich sich jemand gebe. Nun fehlte lediglich noch ein wissenschaftlicher Beweis, der die Austauschbarkeit männlicher und weiblicher Verhaltensmuster belegte. In diesem aufgeheizten Klima wurde ein erschütterndes Experiment mit einem Menschen bekannt, das auf Betreiben eines gewissenlosen Arztes stattfand. Ein kanadischer Junge, Bruce Reimer, wurde gezwungen, als Mädchen aufzuwachsen – ein Versuch mit tödlichem Ausgang.

Was war passiert? Bruce kam 1966 zur Welt, kurze Zeit vor seinem Zwillingsbruder Brian. Als die Babys gut sieben Monate alt waren, geschah während einer Beschneidungsoperation das Unglück: Der Penis von Bruce wurde von einem Laser so stark verletzt, dass er irreparabel war. Man kann sich die Verzweiflung der Eltern vorstellen.

Sie schrieben damals dem anerkannten Psychologen und Sexualforscher John Money, der sofort Kontakt mit den Eltern aufnahm. Money war ein begeisterter Anhänger der neuen Theorie, die Geschlechterrollen seien vor allem in Erziehungsprozessen erlernt. Deshalb riet er den Eltern zu einer Geschlechtsumwandlung. Und so wurde aus Bruce kurzerhand Brenda. Das Kind wurde kastriert, mit weiblichen Hormonen behandelt, in Kleider gesteckt und als Mädchen erzogen. Es sollte niemals erfahren, dass es eigentlich gar kein Mädchen war.

Alice Schwarzer feierte diese Geschlechtsumwandlung als Beweis ihrer These, dass die Gebärfähigkeit die einzige spezifisch weibliche Eigenschaft sei. »Alles andere«, triumphierte sie, »ist künstlich aufgesetzt, ist eine Frage der geformten seelischen Identität.«

Ihr Buch über den »kleinen Unterschied« erschien 1977, Brenda-Bruce kam gerade in die Pubertät. Er wurde mit immer stärkeren Hormongaben gefüttert und hatte deshalb bereits einen Busen. Doch als die Ärzte ihm auch noch eine Kunstscheide einsetzen wollten, wehrte er sich. Mit zunehmendem Alter und erwachendem Bewusstsein hatte er gespürt, dass etwas nicht stimmte. Er riss sich seine Röcke und Blusen vom Leibe, urinierte im Stehen und prügelte sich mit Jungen. Zunehmend lehnte er seinen Körper ab, ohne zu wissen, warum. Ständig war er in psychiatrischer Behandlung.

Die Familie war verunsichert, doch sie wollte alles richtig machen und vertraute dem Psychologieprofessor. So wurden die Eltern auf schreckliche Weise fehlgeleitet und sagten dem verstörten Jungen nicht die Wahrheit. Aber weder zahlreiche Hormonbehandlungen noch Kleider machten aus Bruce ein Mädchen.

Die Probleme wurden immer heftiger. Schließlich wusste man sich nicht anders zu helfen und eröffnete dem verzweifelten Jungen, was geschehen war. Zu diesem Zeitpunkt war er vierzehn Jahre alt. Der Schock saß tief. Als Erstes zündete

Bruce seinen Kleiderschrank an. Fortan lebte er als Junge und nannte sich David.

Der Horror war damit noch nicht zu Ende. In qualvollen Operationen ließ sich David die Brüste entfernen und bestand auf einem Kunstpenis, um wieder »ein ganzer Mann zu sein«. Doch das Experiment hatte ihn tief traumatisiert. Zusammen mit dem Autor John Colapinto dokumentierte er seinen tragischen Fall in dem Aufsehen erregenden Buch *Der Junge, der als Mädchen aufwuchs*. Die Theorie, Geschlechterrollen seien lediglich erlernt, eine Behauptung, die weltweit von der Frauenbewegung begeistert übernommen worden war, hatte sich durch dieses Beispiel als völlig haltlos erwiesen.

Mit dreiundzwanzig Jahren heiratete David eine Frau, mit achtunddreißig Jahren nahm er sich das Leben. Die erlittenen körperlichen und seelischen Qualen hatten ihn zerstört. Er sei jahrelang psychisch terrorisiert worden wie bei einer Gehirnwäsche, lautete eine seiner Aussagen. Auch für seinen Zwillingsbruder Brian endete der eitle Ehrgeiz der Mediziner und Psychologen in einer Katastrophe: Schon zwei Jahre vor seinem Bruder wählte er den Freitod, weil er Davids Leiden nicht mehr ertrug.

Und die Feministinnen? Sie schwiegen.

Geschlechteridentitäten

Davids Geschichte ist im Nachhinein ein trauriger Beweis für die zahlreichen Forschungsergebnisse, die erst in den letzten Jahren von Neurobiologen veröffentlicht wurden. Die Unterschiede zwischen den Geschlechtern beschränken sich nämlich nicht nur auf äußerlich sichtbare Merkmale wie Geschlechtsorgane, Brüste oder Bartwuchs. Sie umfassen darüber hinaus eine Fülle von mentalen und psychischen Gegebenheiten. So gibt es einen deutlichen Unterschied zwischen der männlichen und der weiblichen Hirnstruktur. Die Konsequenz daraus sind typische Verhaltensmuster und Fähigkeiten, die sich jeder ideologisch geführten Diskussion entziehen.

Richtig interessant wird es, wenn Neurobiologen auf die geschlechtsspezifischen Unterschiede sozialen Verhaltens und der kognitiven Fähigkeiten zu sprechen kommen. Dazu zählen Gemütsbewegungen und Gefühle, Gedächtnis- und Sinnesleistungen sowie die Reaktionen auf Stressimpulse.

Verfahren wie die Kernspintomographie und die Positronen-Emissions-Tomographie (PET) haben zahlreiche Unterschiede in einer Reihe von Hirnregionen offenbart. Aller Wahrscheinlichkeit nach ist vor allem das limbische System betroffen, Sitz der Emotionen. Zunächst wunderten sich die Forscher, als sie entdeckten, dass das limbische System bei Frauen weit weniger aktiv ist als bei Männern, wenn es um das Erkennen von Gefühlen in einem Gesicht geht. Waren sie unbeteiligter? Nein, es verhielt sich genau umgekehrt. Frauen mussten sich dabei offenbar weniger anstrengen. Die spezifisch mütterliche Fürsorgefunktion musste zu einer besseren Herausbildung der Gefühlserkennung geführt haben – und deshalb fiel sie den Frauen leichter.

Inwieweit aus dieser Beobachtung eine schöpfungsgewollte Unterschiedlichkeit abzuleiten ist, das anzunehmen oder abzulehnen bleibt jedem Menschen selbst überlassen. Jeder aber, der sich die Frage stellt, wie es sein kann, dass eine lange Geschichte der Zivilisation typische Unterschiede nicht hat abschleifen können, findet bei der modernen Humanbiologie eine Fülle von Informationen, die nachdenklich machen müssen.

Gerade wenn es um das Thema Kommunikation und Gefühle geht, gibt es einiges zu entdecken. Im Allgemeinen ist es einfach, im Gesicht des Gegenübers Reaktionen zu erkennen und einzuordnen. Unabhängig von Sprache und Kultur ist leicht zu erkennen, ob ein Mensch traurig, ängstlich, ärgerlich, überrascht oder glücklich ist. Ein Test ergab, dass beim Einordnen von glücklichen Gesichtern beide Geschlechter gleich gut abschnitten. War der Gesichtsausdruck allerdings traurig, ergab sich ein deutlicher Unterschied. Während Männer nur in 70 Prozent der Fälle auf die richtige Antwort tippten, kamen die Frauen auf 90 Prozent. Es ist nicht zu weit hergeholt, daraus auf eine höhere Befähigung der Frauen zur Anteilnahme bei Leid und Unglück zu schließen.

Auch bei der Abspeicherung von Informationen im Gedächtnis konnten unterschiedliche Verarbeitungsweisen festgestellt werden, insbesondere was die andersartige Einordnung in den beiden Hirnhälften betraf. Die Versuchsergebnisse deuten darauf hin, dass Frauen sich besser Einzelheiten einer Geschichte merken können, während Männer den ganzheitlichen Aspekt im Auge haben.

Die Gründe sind einleuchtend. Der Bereich von Schläfen- und Stirnlappen, in dem die Verarbeitung räumlicher Wahrnehmung und des Sprachverständnisses stattfindet, sind bei beiden Geschlechtern unterschiedlich organisiert. Die Größe einzelner Regionen unterscheidet sich, auch die Dichte der

Nervenzellen zeigt auffallende Abweichungen. All das wird im Augenblick der Zeugung bestimmt – und somit auch die spezifische Einteilung in ein weibliches und männliches Verhalten.

Feministinnen ignorierten derartige Forschungsergebnisse. Die Einteilung in männlich und weiblich sei nichts weiter als ein gesellschaftlicher Willkürakt, kein biologisch begründbarer Unterschied. »Nichts, nicht Rassen- oder Klassenzugehörigkeit markiert uns so wie unsere Geschlechtszugehörigkeit«, konstatierte Alice Schwarzer. »Mit dem Ausruf: ›Es ist ein Mädchen!‹ oder ›Es ist ein Junge!‹ sind die Würfel gefallen. Unser biologisches Geschlecht dient vom ersten Tag an als Vorwand zum Drill zur ›Weiblichkeit‹ oder zur ›Männlichkeit‹. Da gibt es kein Entkommen.«

Das Scheitern der Umerziehung

Für die Feministinnen war das Entkommen aus dieser Geschlechterzuweisung höchstes Ziel. Also hieß es: »Raus aus der weiblichen Rolle!« Und im Zweifelsfall setzte man die Worte »Rein in die männliche Rolle!« hinzu. Eine problematische Strategie, wie sich gezeigt hat. »Umerziehung« ist ein gefährliches Experiment, nicht nur, wenn es angesichts einer gewaltsamen Geschlechtsumwandlung auf die Spitze getrieben wird. Schon die Leugnung spezifischer Unterschiede kann dazu führen, dass Kindern psychische Gewalt angetan wird.

Melanie ist ein solcher Fall. Ihre Mutter war, wie sie selbst sagt, eine »Super-Emanze«. Sie lehnte es ab, den Vater ihres

Kindes zu heiraten, und zog mit Melanie wenige Wochen nach der Niederkunft in eine Wohngemeinschaft. Zunächst erlebte Melanie eine eher traurige Zeit in einer Krippe, weil ihre Mutter studierte und jobbte. Als sie dann in einen »Kinderladen« kam, das alternative Gegenmodell zum staatlichen oder konfessionellen Kindergarten, begann eine neue Phase für sie. Hier wurden die Kinder zwar ökologisch ernährt und »gewaltfrei« erzogen, aber auch mit anderen Theorien der Achtundsechziger-Bewegung konfrontiert. Dass die Jungen nicht Krieg spielen durften, mag man als gut gemeint hinnehmen. Besondere Aufmerksamkeit aber galt den Mädchen. Sie sollten bloß keine Weibchen werden.

Für Melanie bedeutete das: Hosen statt Röcke, Autos statt Puppen, kurze Haare statt langer Locken. Alles wurde vermieden, was möglicherweise die weibliche Rolle verstärkt hätte. Melanie musste Fußball spielen, auch wenn sie keine Lust dazu hatte, und täglich wurde ihr erzählt, dass es die Hölle bedeute, eine Frau zu sein. »Ich erinnere mich noch genau, wie ich einmal mit meiner Mutter einkaufen ging«, erzählte sie mir. »Im Schaufenster sah ich ein pinkfarbenes Kleidchen mit Blümchenmuster und Rüschen. Völlig verzückt zeigte ich darauf. Genau das wollte ich haben! Aber meine Mutter wurde richtig wütend. Sie selber trug ja nur Jeans und T-Shirts, nie habe ich sie in einem Kostüm gesehen. Kleider seien einzig etwas für dämliche Zicken, sagte sie mir, als ich auf dem Blümchen-Outfit beharrte, so etwas käme auf keinen Fall in Frage!«

In der Pubertät rebellierte Melanie. Sie kaufte sich kurze Röcke und schminkte sich zum Entsetzen ihrer Mutter äußerst auffällig. Außerdem trug sie riesige Ohrringe und eine

Menge klimpernder Ketten. Als sie mit hochhackigen Schuhen nach Hause kam, erhielt sie eine Ohrfeige, die erste und einzige ihres Lebens. »Du siehst jetzt so aus, wie die Männer uns immer haben wollten!«, beschimpfte die Mutter ihre Tochter. »Wundere dich nicht, wenn du vergewaltigt wirst!«

Es war nicht allein pubertärer Trotz, der Melanie ins andere Extrem fallen ließ. Zahlreiche wissenschaftliche Experimente haben belegt, wie unterschiedlich Mädchen und Jungen schon in frühen Jahren auf bestimmte visuelle Reize reagieren. Einjährige Mädchen schauen ihre Mütter viel länger an als gleichaltrige Buben. Und wenn man Kleinkindern unter drei Jahren Filme zeigt, so blicken Mädchen länger und intensiver Sequenzen an, die Gesichter im Mittelpunkt haben, während sich Jungen, wen wundert es, vornehmlich für Einstellungen mit Autos interessieren.

Jede Mutter erlebt, wie sich das bei ihren Kindern auswirkt: Man kann einem Jungen noch so viele Puppen schenken, er wird immer Bälle, Elektronik und Kampfspielzeug bevorzugen. Und auch dann, wenn man Mädchen täglich auf den Fußballplatz schickt, werden sie anschließend wieder lieber mit Puppen, Stoffen und Schmuck spielen. Der Versuch, diese Veranlagung durch erzieherische Maßnahmen zu ändern, schlägt so gut wie immer fehl, es sei denn, man verwechselt Erziehung mit Zwang.

Dennoch werden die Unterschiede weiter ignoriert, selbst von der Politik. Anders ist nicht zu erklären, dass heute in unseren Schulen immer stärker versucht wird, Mädchen und Jungen konsequent gleich zu behandeln. Die so genannte Koedukation, also der gemeinsame Unterricht für Mädchen und Jungen, treibt dabei die seltsamsten Blüten: So müssen Jungen oft Kochen, Backen und Nähen lernen, obwohl sie sich dafür nicht im Geringsten begeistern können.

Verstärkt wird das durch die Feminisierung der schulischen Erziehung. Sie befindet sich hierzulande überwiegend in Frauenhänden – der Anteil von Lehrerinnen in der Grundschule liegt bundesweit bei über 90 Prozent, in der Sekundarstufe I bei über 70 Prozent und auch im Gymnasium ist ein Anteil von 50 Prozent erreicht, bei steigender Tendenz.

Dies führt dazu, dass die speziellen Begabungen von Jungen und Mädchen aus dem Blickfeld geraten. Die weltweit durchgeführte PISA-Studie hat gezeigt, dass die schulischen Leistungen wesentlich besser ausfallen, wenn Mädchen und Jungen getrennt unterrichtet werden. Der Grund: Die charakteristischen Unterschiede der Wahrnehmung, des Lernverhaltens und der Stressbewältigung können dadurch besser berücksichtigt werden.

Diejenigen, die unter der Koedukation und der Masse der weiblichen Erzieher eindeutig leiden, das sind die Jungen. Sie dürfen ihre geschlechtsbedingte, natürliche Aggressivität nicht ausleben, sondern sollen statt der typischen Wettkampf- und Konkurrenzspiele immer hübsch harmonisch agieren, als sei die Welt ein Bambiland. Problematisch bei der Unterdrückung typisch männlicher Kampfmuster ist, dass die Jungen nicht die dazugehörige Versöhnung lernen und auch später als Erwachsene Schwierigkeiten damit haben.

Dass sich dieser unterdrückte Kampfgeist Ventile sucht, liegt auf der Hand. Und so nimmt es nicht wunder, dass gerade Jungen schlechtere Schulleistungen vorweisen, mit zunehmendem Alter überproportional verhaltensauffälliger und gewaltbereiter werden als Mädchen und Frauen. Die

Kriminalitätsstatistik belegt es: Vom Verkehrsdelikt bis zum Raubmord, es gibt wesentlich mehr männliche Täter als weibliche.

Die Vermännlichung der Frau

Wichtige Erkenntnisse über die physiologischen Gründe von geschlechtsspezifischen Verhaltensunterschieden lieferten die Hormonforscher. Auch das Beispiel von Bruce/Brenda hatte gezeigt, dass keine Geschlechtsänderung möglich war, dennoch vermutete man aber einen Zusammenhang zwischen Hormonhaushalt und Verhalten.

Eine seltene Krankheit in Indien brachte die Wissenschaftler auf die Spur. In einer Familie verwandelten sich aufgrund eines genetischen Defekts mehrere als Mädchen geborene Kinder während der Pubertät allmählich in Jungen. Durch die falsche Hormonsteuerung veränderten sie jedoch nicht nur ihr äußeres Erscheinungsbild. Als ihnen plötzlich Barthaare wuchsen, die Stimme brüchig wurde und der Busen sich zurückentwickelte, legten sie auch ihre weiblichen Verhaltensformen ab.

Aus der Zoologie wusste man schon länger, dass durch gezielte Hormongaben vorübergehende Verhaltensänderungen erzeugt werden können. Bei Tierversuchen hatte man zum Beispiel herausgefunden, dass eine regelmäßige Testosteronzufuhr bei Zebrafinkenweibchen zu einer deutlichen Umformung jener Hirnareale führte, die für den Gesang zuständig sind. Als das Testosteron abgesetzt wurde, bildeten sich diese Areale auf ihre Normalform zurück. Durch die Hormongaben konnte das Weibchen also »ähnlich« singen wie ihr männliches Pendant. Ein Männchen aber wurde es dadurch nicht.

Spannend wird es, wenn wir uns damit auseinandersetzen, dass Hormone auch der Grund dafür sind, dass selbst kleinere Mädchen und Jungen auf unterschiedliche Art und Weise aggressiv bei Stress reagieren. Testosteron, ein vorwiegend männliches Geschlechtshormon, sorgt dafür, dass das Verhalten bei Jungen eine deutlich provokativere Komponente erhält. Das männliche Konkurrenzverhalten muss man deshalb auch als Ausdruck eines entsprechend geschlechtsspezifischen Hormonspiegels begreifen.

Es ist aufschlussreich, sich einmal anzusehen, was Testosteron alles bewirkt. Es lässt Muskeln wachsen und macht stark, andererseits erhöht es die Konzentration von Cholesterinlipiden im Blut, weshalb Männer eher an Herz- und Gefäßerkrankungen leiden und auch nicht so lange leben wie Frauen. Die weiblichen Hormone, etwa Östrogene oder das Gelbkörperhormon, bieten Frauen dagegen einen gewissen Schutz vor zu viel Blutfett und auch – das wird wenigstens vermutet – vor anderen Krankheiten wie Autismus und Immunstörungen, die bei Männern in viel größerer Häufigkeit auftreten als bei Frauen.

Wenn Frauen heute ein anstrengendes, auf Konkurrenz beruhendes Berufsleben bewältigen müssen, kann sich ihr Testosteronspiegel erhöhen, weil er offenbar hilft, die anstehenden Aufgaben besser zu bewältigen. Bekanntlich können weibliche Sportler durch Testosteronzugaben ihre Muskeln vergrößern und auf diese Weise ihre Leistung erhöhen. Zu Männern mutieren sie dadurch zwar nicht, der Preis dafür ist jedoch eine tiefere Stimme, Ansätze von Bartwuchs und eine

Zurückbildung der weiblichen Brust. Aber auch ganz normale Frauen können an sich beobachten, wie sich schon schwache Veränderungen des Hormonspiegels, ausgelöst durch belastende Lebensumstände, bemerkbar machen. Biologen wissen heute recht genau, wie sich der Hormonhaushalt von Frauen verschiebt, die männliche Verhaltensweisen übernehmen.

Und wie eine solche Veränderung aussieht, bekam ich aus persönlicher Erfahrung zu spüren: Als die Ehe mit dem Vater meines Kindes zu Ende war und ich mich als allein erziehende Mutter wiederfand, nahmen Stress, Überlebensängste und Existenzzweifel in mir überhand. Eine verständliche Reaktion, denn plötzlich sah ich mich in der Verantwortung für zwei Leben – meinem und dem noch viel schützenswerteren meines Kindes. Ein Jahr nach der Trennung fielen mir die Haare büschelweise aus, ein Umstand, der keiner Frau besonders große Freude bereitet. Ich sah bereits meine Arbeit beim Fernsehen gefährdet und ließ mich ärztlich untersuchen. Der Befund war eindeutig: Mein Hormonspiegel enthielt zu wenig Östrogene, also weibliche Hormone, dafür einen deutlichen Überschuss von Testosteron.

Dass ich gleichzeitig einige Kilo Gewicht verlor, mag an den Strapazen dieser anstrengenden Zeit gelegen haben, doch auch der Östrogenmangel spielte dabei eine entscheidende Rolle. Der Gewichtsverlust sorgte dafür, dass mein Körper einige weibliche Rundungen verlor, dass ich schmaler und knabenhafter wirkte. Ganz eindeutig war ich auf dem besten Wege, mich zu »vermännlichen«, ausgelöst durch eine Überforderung.

Diese Beobachtung machen immer mehr Ärzte. Die hormonellen Folgen bei der Übernahme männlicher Aufgaben mit all ihren Konflikten sind beispielsweise Hautärzten gut bekannt. Viele Frauen klagen neuerdings auch jenseits der Pubertät über Akne. Der Grund für diese »Spätakne« sind meist Hormonstörungen, die durch unbewältigten Stress ausgelöst werden. Die vermehrte Ausschüttung von männlichen Hormonen führt medizinisch gesehen zu einer stärkeren Verhornung der Haut, was Akne stark begünstigt. Es ist also buchstäblich so, dass Frauen »eine dickere Haut« bekommen, wenn sie unablässig großen Überanstrengungen ausgesetzt sind. Die Kosmetikindustrie hat übrigens längst reagiert und bietet zunehmend Anti-Akne-Produkte an, die für Frauen über dreißig gedacht sind.

Dass sich auch die Mode auf solche körperlichen Veränderungen einstellen muss, kann ein Blick in Boutiquen bestätigen. Die typisch weiblichen Rundungen, wie sie Östrogene erzeugen, verschwinden, die so genannte Sanduhr-Figur wird immer seltener. Daher muss bei den Schnitten der Kleidung berücksichtigt werden, dass die Hüften der Frauen allgemein schmaler geworden sind und die Oberweite kleiner – bei gleicher Konfektionsgröße.

Gleichzeitig veränderte sich das Schönheitsideal. Marilyn Monroe, das Sexsymbol der sechziger Jahre, trug noch Größe 42 (nach damaligen Maßstäben) – heute ist es undenkbar, dass eine unserer jetzigen Film- oder Modelikonen mit dieser Kleidergröße Karriere gemacht hätte. Weibliche Formen sind verpönt, und die Supermodels machen uns vor, dass die perfekte Frau einzig aus Haut und Knochen besteht. Vor zwanzig Jahren wogen die Models übrigens 8 Prozent weniger als die Durchschnittsfrau, heute sind es schon 23 Prozent.

Wer all diese Dinge zu reinen Äußerlichkeiten erklärt, der verkennt, wie sehr die Orientierung an männlichen Rollen in den Seelenhaushalt und die körperliche Gesundheit von Frauen eingreift.

Es lebe der Unterschied

Auch wenn sich Frauen bemühen, im Berufsleben so männlich wie möglich aufzutreten: Inzwischen sind Unterschiede zwischen den Geschlechtern auch zu einem Thema betrieblicher Führung geworden. Dass weibliche Fähigkeiten wie Sensibilität, Einfühlungsvermögen und Empathie durchaus förderlich im täglichen Miteinander wirken, hat sich längst herumgesprochen. Doch produziert die von den Feministinnen geforderte Einheitsbehandlung von Frauen und Männern am Arbeitsplatz zahlreiche Missverständnisse und Konflikte.

Männer nehmen, so hat sich gezeigt, weniger körpersprachliche Signale wahr als ihre weiblichen Kollegen. Erst wenn die Kollegin einen Weinkrampf bekommt, merken männliche Mitarbeiter, dass etwas nicht in Ordnung ist. Sie zeigen sich dann meist völlig überrascht, während die Kollegin bekennt, sie hätte schon seit längerem versucht, Signale auszusenden, diese seien jedoch nicht wahrgenommen worden. Wenn Männer davon ausgehen würden, dass Frauen anders kommunizieren, könnten solche Missverständnisse vermieden werden. Natürlich gilt dies auch im umgekehrten Fall.

Wir sollten uns damit abfinden, dass wir als Mann oder eben als Frau zur Welt kommen und damit auch spezifische

Eigenschaften haben, die wir ausleben sollten, statt sie zu verdrängen. Und zwar ohne Vorbehalte und ohne inneren Widerstand. Nur wenn wir uns im Einklang mit den Gesetzen der Natur befinden, wenn wir sie erkennen und akzeptieren, kann das segensreiche Schöpfungsprinzip der menschlichen Zweigeschlechtlichkeit förderlich für uns und unsere Gesellschaft wirken.

Wenn ich meine eigenen Fähigkeiten betrachte, wird mir schnell klar, dass meine Stärken weder das Lesen eines Stadtplans noch eine brillante Orientierungsfähigkeit sind. Mich stört das nicht, denn es ist bekannt, dass Frauen tendenziell eine geringere Befähigung zum räumlichen Denken besitzen, Ausnahmen bestätigen die Regel. Es gibt einige solcher praktischen Beispiele aus meinem Alltag. So empfinde ich es nicht gerade als das Höchste der Gefühle, Getränkekisten zu schleppen oder ein defektes Radio zu reparieren. Auf die meisten meiner Freundinnen trifft das ebenfalls zu.

Und so versuche ich erst gar nicht mehr, mich in allen Bereichen an Männern zu messen – was das Leben, hat man dieses Gesetz erst einmal akzeptiert, entschieden erleichtert. Es wird Zeit, dass wir so etwas nicht als Schwäche empfinden, sondern als naturgegebene Tatsache. Bestenfalls nehmen wir es mit Humor.

Populäre Bücher, in denen Frauen augenzwinkernd attestiert wird, sie könnten nicht einparken, und Männern, sie seien wortkarg und von primitiven Instinkten gesteuert, mögen auf den ersten Blick klischeehaft wirken – dennoch sind ihre Grundannahmen keineswegs falsch. Die satirische Übertreibung ist lediglich eine unterhaltsame Variante der

Erkenntnis, dass es Unterschiede gibt, die kein noch so hartnäckig verfolgtes pädagogisches Konzept ausradieren kann.

Das betrifft Frauen wie Männer. »Wann ist der Mann ein Mann?«, fragte Herbert Grönemeyer in einem seiner erfolgreichsten Songs. Wissen Männer überhaupt noch, wer und was sie sind? Können sie sich ihrer Identität noch sicher sein im Verwirrspiel der Geschlechterrollen?

Grönemeyer schrieb den Song in den achtziger Jahren, und auf einmal diskutierten alle aufgeregt, ob Männer überhaupt noch echte Männer sein können, ob sie es überhaupt noch dürfen. Viele erkannten sich in der Beschreibung Grönemeyers wieder, in Sätzen wie: »Männer haben Muskeln, Männer sind furchtbar stark ... Männer sind einsame Streiter, müssen durch jede Wand, müssen immer weiter.«

Dieser Text war auch ironisch gemeint, denn »starke Männer« waren gerade out, Konjunktur hatten die selbst ernannten starken Frauen. Vergnüglich war für mich die Beobachtung, dass die meisten Männer, die ich kannte, diesen Song damals für bare Münze nahmen und das Augenzwinkern nicht erkennen wollten oder konnten.

Ein gleichermaßen amüsantes wie aufschlussreiches Beispiel kann uns vor Augen führen, wie stark unsere Prägungen trotz aller Debatten sind, trotz aller Rollentauschexperimente. Stellen Sie sich vor, ein gleichberechtigt miteinander lebendes Ehepaar liegt nachts im Bett. Beide haben den ganzen Tag gearbeitet, beide sind hundemüde. Plötzlich hören sie das Geräusch von splitterndem Glas: Einbrecher! Der Ehemann seufzt: »Schatz, ich hatte einen anstrengenden Tag, schau doch mal nach, was los ist, und treib die Kerle in die

Flucht.« Selbst die emanzipierteste Ehefrau würde wohl nicht mehr lange bei diesem Mann bleiben.

Anthropologen und Biologen sind heute in der Lage, uns zu erklären, warum wir gerade in Situationen, wo es »darauf ankommt«, auf geschlechtsspezifische Muster zurückgreifen – und warum wir Frauen uns bei Gefahr eben einen starken Mann wünschen. In verschiedenen Studien wurden eine Fülle von Situationen analysiert, in denen sich männliche und weibliche Reaktionen deutlich voneinander unterscheiden. Man vermutet, dass im Laufe der Evolution vielfältige »Selektionseindrücke« das geschlechtsbedingt unterschiedliche Verhalten verstärkten. Damit soll zum Ausdruck gebracht werden, dass charakteristische Eigenschaften der Geschlechter über längere Zeiträume hinweg entstanden sind – und zwar durch ein individuelles Auswahlverfahren. Gewisse Merkmale bei Männern und Frauen haben sich dadurch herausgebildet, weil sie von dem jeweils anderen Geschlecht bevorzugt wurden.

Das Zusammenspiel von jahrtausendelang erprobten Tätigkeiten, die grundsätzlich jeweils eher von Männern oder von Frauen bevorzugt wurden, haben deutlich erkennbare Vorlieben entstehen lassen. Das erklärt, warum für Jungen vorwiegend Spielsachen begehrenswert sind, die ihre Fähigkeiten zur Verteidigung schulen, Mädchen wiederum üben sich unbewusst in der Betreuung und dem Aufziehen von Nachwuchs, wenn sie ihre Puppen in den Arm nehmen. Und es erklärt, warum Frauen Stunden in Schuhgeschäften verbringen können – der Horror schlichtweg für jeden noch so geduldigen Partner. Der nämlich stürzt am liebsten in einen Laden, mustert kurz und genau das Angebot und verlässt das

Geschäft wenige Minuten später wieder mit seiner »Beute«. Warum existiert dieser fundamentale Unterschied? Weil Frauen über Jahrtausende hinweg Früchte gesammelt haben, weil sie vergleichen und sorgfältig auswählen. Das kostet Zeit. Ihre Neigung, auf das Detail zu achten, tut ein Übriges. Männer dagegen gehen selbst beim Einkauf »auf die Jagd«: Augenblicklich erobern sie das, was sie brauchen, anschließend verlassen sie den Schauplatz des Geschehens genauso schnell, wie sie ihn betreten haben.

Haben Sie sich auch mal gefragt, warum wir Frauen so gern Handtaschen mit uns herumschleppen? Und zwar keine winzigen Etuis, sondern am liebsten geräumige Beutel? Schlendern Sie einmal durch eine Fußgängerzone und studieren Sie diesbezüglich Frauen und Männer: Ganz gleich wie alt oder jung, wie leger oder sorgfältig angezogen, allerorten begegnen uns Frauen mit Taschen, während die Männer mit freien Händen herumlaufen. Auch dies ist ein Erbe der geschlechtsbedingten Evolution: Da Eva gern sammelt, muss sie immer die Möglichkeit haben, ihre Ernte zu verstauen, um sie sicher nach Hause zu tragen. Männer dagegen horten nicht, sie beschweren sich ungern mit Einkaufsnetzen oder Taschen, weil sie unbewusst verteidigungsbereit sein wollen, und das, obwohl die Geldbörse in der Hosentasche für Diebe weit bequemer erreichbar ist, als wenn sie in einer Handtasche verstaut wäre.

Angesichts solcher Beobachtungen muss es ein vergebliches Unterfangen bleiben, im Namen moderner Lebensformen die Geschlechterrollen ändern zu wollen. Erst seit wenigen Jahrzehnten spielen wir im Selbstversuch den Rollentausch durch und empfehlen Frauen männliche Verhaltensweisen – ein winziger Augenblick in der Geschichte der Menschheit.

Die überforderte Frau

Die vorsätzlich betriebene Veränderung weiblicher Rollenbilder in unserer Gesellschaft mag rasant vonstatten gegangen sein, doch dieser angebliche Fortschritt ist erkauft mit einer nachhaltigen Verdrängung weiblicher Eigenschaften, die nun ungenutzt schlummern. Viele Frauen spüren mittlerweile, dass sie gegen ihre Fähigkeiten und gegen ihre Bestimmung leben. Es ist ein diffuses Unbehagen, das sie erfasst; tief in ihrem Innern spüren sie, dass sie ihre Weiblichkeit verlieren.

Die Anforderungen sind unerbittlich. Zunehmend übernehmen Frauen männliche Aufgaben, sorgen für die Existenz der Familie und müssen am Arbeitsplatz um ihr berufliches Überleben kämpfen. Das gelingt ihnen nur, wenn sie männliche Waffen und Strategien kopieren, die ihnen Macht verschaffen und ihre Position absichern.

Der Rollenwechsel kam auf leisen Sohlen. Er wurde zwar laut propagiert, doch da die Feministinnen von der Mehrheit zunächst nicht ernst genommen wurden, bemerkten nur wenige den folgenreichen Wandel vom ersten Augenblick an. Steter Tropfen höhlt den Stein – erst allmählich wurden die gesellschaftspolitischen Konsequenzen wie der eingeforderte Arbeitseinstieg der Frau sichtbar.

Heute hat der Rollenwechsel einen Auflösungsprozess sozialer Formen wie etwa Ehe und Familie zu verantworten: Mit dem Verlust der Weiblichkeit wird auch der Wunsch nach Ehe und Familie zurückgedrängt. Erst seit der Diskussion über das ganze Ausmaß der Kinderlosigkeit beginnen wir, uns näher mit den Ursachen zu beschäftigen.

Natürlich bleiben die Männer von diesen Entwicklungen nicht unberührt. Je mehr sich die Frauen von ihren ursprünglichen Verhaltensweisen entfernen, desto mehr klagen sie diese bei den Männern ein. Sie sollen nun jene Aufgaben übernehmen, die Frauen im Namen der Emanzipation ablehnen, vor allem die der Kinderbetreuung. Der darin enthaltene Denkfehler wird gern übersehen: die Frage nämlich, ob Männer überhaupt geeignet sind, solche Tätigkeiten zu übernehmen.

Nie in der Menschheitsgeschichte haben die Männer freiwillig Hausarbeiten verrichtet oder Kinder aufgezogen, aufgrund ihrer Veranlagungen sind sie auch nicht dafür vorgesehen. Werden Männer trotzdem in die Pflicht genommen, bedeutet das meist eine Verunsicherung ihrer Identität, die psychische Probleme aufwerfen kann. Therapeuten kennen die Problematik: Hausmänner fühlen sich oft unterfordert und wertlos (wie auch einige Hausfrauen, das soll nicht verschwiegen werden). Deshalb ist es eine gefährliche Entwicklung, wenn wir mit neu geschaffenen Gesetzen Männer zur Betreuung und zum Aufziehen ihrer Kinder zwingen wollen. Weniger als fünf Prozent der Männer sind bereit, zu Hause bei den Kindern zu bleiben, während die Frau einem Beruf nachgeht. Meist werden diese Entscheidungen als Notlösungen angesehen, etwa aufgrund einer gegebenen Arbeitslosigkeit seitens der Männer. Etwa 96 Prozent dieser Ehen gehen übrigens schief.

Es mag auf einzelne Väter zutreffen, dass sie den Drang verspüren, sich verstärkt um ihre Kleinen zu kümmern. Ein

Verhalten, das sich segensreich für alle auswirkt, wenn es von dem Erziehenden wirklich gewünscht und gewollt ist. Doch im Allgemeinen konzentriert sich die Mehrzahl der Männer lieber auf die Karriere. In der Freizeit widmen sie sich sehr wohl und gern ihrem Nachwuchs, was die Entwicklung einer stabilen Familie eindeutig fördert. Die Weigerung, ein Leben als Hausmann zu führen, ist nicht etwa ein Zeichen für mangelnde Vaterliebe, sondern sie entspricht einfach dem natürlichen Rollenverhalten.

Sollten Sie, während Sie dieses Kapitel lesen, in einem Flugzeug sitzen, das von einem weiblichen Piloten gesteuert wird, so bedeutet das nicht die sofortige Widerlegung der eben aufgestellten These. Die Natur arbeitet nicht nach Schema F. Alle diese Feststellungen beziehen sich somit nicht auf individuelle Ausprägungen. Denn jeder von uns kennt Frauen, die bei einer Autopanne selbst den Reifen wechseln oder vorzugsweise Zeitschriften über Computertechnik lesen, so wie es Männer gibt, die gerne häkeln und lieber Tango tanzen, als Fußball zu spielen. Sie sind jedoch in ihrer Geschlechtsgruppe in der Minderheit.

Dies müssen wir beachten, wenn Feministinnen mit Beispielen aus ihrem persönlichen Umfeld argumentieren, um die Austauschbarkeit von Geschlechterrollen zu beweisen. Der Hinweis, dass eine bestimmte Frau oder ein bestimmter Mann dieses oder jenes gut kann, berechtigt jedoch nicht zu der Schlussfolgerung, dass dies für alle gilt.

Überzeugte Feministinnen verwenden jedoch gern genau diese Argumentationslinie – sie zielen auf extreme Fallbeispiele ab und stellen anhand dieser Behauptungen auf, die als allgemeingültig hingestellt werden.

Eine Bekannte, die mit ihrer Freundin in einer Paarbeziehung lebt, sprach mich nach Erscheinen des umstrittenen *Cicero*-Artikels zum Thema Emanzipation ausgesprochen erregt an. Es sei eine Schande, dass wertvolle Errungenschaften wie Selbstverwirklichung und ein geregeltes Berufsleben für Frauen von mir mit Füßen getreten würden. Sie selbst, ihre erfolgreiche Freundin und schließlich auch ich persönlich würden von diesen Vorteilen doch enorm profitieren. Undank warf sie mir vor und maßlose Dummheit.

Ihre Perspektive war nachvollziehbar. Doch erklärte ich ihr, dass sie und ihre Freundin, zwei Frauen also, die sich bewusst gegen Mann und Kinder entschieden hatten, überhaupt nicht zur Zielgruppe des Beitrags gehörten. Durch ihre besondere Veranlagung würden sie niemals in die Situation geraten, eine Entscheidung für oder gegen Kinder zu treffen. Auch das Familienleben dürfte in ihrem Fall eine völlig andere Bedeutung haben.

Meine Bekannte war irritiert, ja schockiert, denn in diesem Moment schien ihr zum ersten Mal bewusst zu werden, dass sie zu der Diskussion über Frau und Familie wenig beizutragen hatte, weil ihr Lebensentwurf ein völlig anderer war als der des Durchschnitts.

Nur Frauen, die sich täglich aufs Neue mit den Folgeproblemen der Emanzipation auseinandersetzen müssen, die um genügend Zeit für Kinder und Mann ringen und doch nicht die Bedürfnisse aller erfüllen können, sollten sich in diese Debatte aktiv einmischen. Viel zu lange haben wir an den Lippen von Vordenkerinnen gehangen, die selber weder eine erfüllte Partnerschaft mit einem Mann noch eine Familie mit Kindern haben. Ihre individuelle Lebensform akzeptieren wir selbstverständlich, doch es ist nicht einzusehen, dass sie ihre persönliche Entscheidung oder ihre sexuelle Veranlagung zum Maß aller Dinge machen. Hier müssen wir unsere unterschiedlichen Positionen klar benennen und unsere Konsequenzen daraus ziehen.

Als eine meiner engsten Freundinnen, eine gut aussehende, erfolgreiche Mittvierzigerin, vor einiger Zeit mit einem schweren Herzinfarkt ins Krankenhaus eingeliefert wurde, machten meine Familie und ich gerade Urlaub an der Nordsee, zusammen mit einigen befreundeten allein erziehenden Müttern. Wir alle waren bestürzt. Wie hatte das passieren können?

Wenige Tage später, als meine Freundin die Intensivstation verlassen hatte, telefonierten wir miteinander. Ich war erschüttert! Ihre Erklärungen waren mehr als deutlich. Schon viele Monate zuvor habe sie der Lebensmut verlassen, erzählte sie. Sie wohnte mit ihrer zehnjährigen Tochter in einer Dreizimmerwohnung, arbeitete viel und ging unter dem finanziellen, gesellschaftlichen und beruflichen Druck zunehmend in die Knie. Mehrere Male, berichtete sie leise, hatte sie mit dem Gedanken gespielt, den Freitod zu wählen, einzig die Sorge und Verantwortung für ihr Kind hielten sie davon ab. Dann sprach sie weinend von ihren Sehnsüchten nach einem Mann, einer Familie, nach Ruhe und Geborgenheit. Und sie schloss mit dem Satz: »Ich bin nicht die, für die ihr mich haltet. Ich will keine Karriere und keinen Erfolg. Ich möchte Liebe und Harmonie!« In Anbetracht der dramatischen Umstände war klar, dass diese Aussagen sehr ernst genommen werden mussten.

Natürlich war das Schicksal meiner unglücklichen Freundin während des restlichen Urlaubs das wichtigste Gesprächsthema. Alle anwesenden Frauen befanden sich in ähnlichen Lebensumständen; sie waren in etwa demselben Alter wie diese Freundin, hatten ein oder zwei Kinder, aber keinen Partner. Sie waren berufstätig, mehr oder weniger erfolgreich, und diese Tatsache hatte sie ohne Frage zu ausgesprochen selbständigen »Einzelkämpferinnen« gemacht.

Doch als sie erfuhren, wie es zu dem Herzinfarkt meiner Freundin gekommen war und wie ausweglos sie ihre Lebenssituation empfand, brachen sie alle nacheinander in Tränen aus. Und dann gab eine nach der anderen zu, ähnliche Nöte und Ängste zu kennen. Jede Einzelne von ihnen, so stellte sich heraus, konnte dem ungeheuren täglichen Druck von allen Seiten kaum noch standhalten. Sämtliche Frauen berichteten nun aufrichtig über körperliche und psychische Zusammenbrüche, die sie schon erlitten hatten. Und sie hoben geschlossen hervor, dass sie dieses Schicksal nicht noch einmal freiwillig auf sich nehmen würden, wenn sie die Wahl hätten.

Wohlgemerkt, so äußerten sich Frauen, die von außen betrachtet mit beiden Beinen im Leben stehen und gut »funktionieren«. Eine von ihnen arbeitet als Marketingspezialistin in einer Werbeagentur, die zweite ist eine angesehene Radiojournalistin und die dritte hat sich als Künstlerin einen Namen gemacht.

Aber auch für mich waren ihre Schilderungen nur allzu vertraut. Durch die Erzählungen der Freundinnen kamen identische Gefühle in mir hoch. Ich wagte kaum darüber nachzudenken, wie es Millionen anderen allein erziehenden Müttern ergehen mag, die unter viel schwierigeren Bedingungen überleben müssen.

Diese Erfahrung veränderte meine Wahrnehmung für berufstätige Mütter entscheidend. Ich sah genauer hin und ließ mich nicht mehr von den bestens gepflegten Fassaden täuschen. Fast überall entdeckte ich ähnliche Muster. Auch jene Frauen, die liiert oder verheiratet sind, schienen bei genauerem Hinsehen unter vergleichbaren Belastungen zu leiden. Das Maß der Aufgaben, die Ansprüche, die das Umfeld und auch die Frauen wie selbstverständlich an sich richten, können nur selten problemfrei bewältigt werden. Denn der Kernpunkt ist: Frauen sollen ja die weibliche und die männliche Rolle gleichzeitig erfüllen! Familie, Küche, Kinder, Mann, Beruf, Flexibilität, Fitness, Schönheit, gesunde Ernährung, Selbstverwirklichung ... Es klingt wie ein Hohn: Wer, meine Damen, soll das allen Ernstes schaffen?

Auffällig ist übrigens, dass Herzinfarkte bei Frauen zunehmen, obwohl diese Erkrankung lange als typisch männlich galt. Nun haben sich die Frauen auch dieses Gebiet »erobert« – unter anderem deshalb, weil die schon erwähnte Verschiebung des Hormonspiegels mit der vermehrten Ausschüttung von Testosteron nachweislich die Neigung zu Gefäßerkrankungen und damit auch Infarkten steigert.

Keine Konkurrenz mit dem starken Geschlecht

Ich will noch einmal zu den Unterschieden zwischen Mann und Frau zurückkehren. Die jeweils typischen Eigenschaften haben im Laufe der Menschheitsgeschichte unzweifelhaft einen Einfluss auf die Tätigkeiten und die Berufswahl gehabt. Allein deshalb, weil vor der Entwicklung von Maschinen und

Motoren die körperliche Stärke eine viel bedeutendere Auswirkung auf das tägliche Leben und die Berufswahl hatte als heute. Der Mann ist infolge seiner genetischen Voraussetzung unzweifelhaft stärker und größer als die Frau, kann aber keine Kinder bekommen. Das vermag nur die Frau. Sie kann die Kleinen aufgrund ihrer körperlichen und psychischen Anlagen nähren und aufziehen. Zum Glück: Denn die Wechselbeziehung zwischen Mutter und Kind besonders in den ersten drei Lebensjahren wirkt sich nachweislich entscheidend auf das Wohl, die Gesundheit und das Selbstbewusstsein des Kindes aus, ein Leben lang.

So ist es kein Wunder, dass es in der Vergangenheit und auch heute noch in traditionellen Kulturen zu einer klaren Aufgabenteilung kam. Männer jagen, fischen, stellen Fallen und hüten Herden; Frauen versorgen die Kinder, sammeln Pflanzen, verarbeiten Milch und bereiten die Nahrung zu. Männer bauen Erz und Kohle ab, fällen Bäume, errichten Häuser; Frauen weben, flechten, stellen Matten und Kleider her und töpfern. Der einleuchtende Grund für diese ursprünglichen Aufteilungen ist die unterschiedliche Körperkraft sowie die Vereinbarkeit der weiblichen Tätigkeiten mit der Bestimmung des Gebärens und der Säuglingspflege.

Ganz offensichtlich haben sich die Zeiten geändert. Begünstigt durch den technischen Fortschritt und die Anforderungsprofile der modernen Berufswelt sind einige Gründe für die Aufgabenverteilung durch Geschlechtsunterschiede entfallen. Dies betrifft zunächst die körperliche Muskelkraft. Frauen können immer mehr »Männerberufe« erobern, die auszuüben ihnen früher einfach nicht möglich war. Erfindungen wie die Servolenkung oder Bremskraftverstärker machen es ihnen heute möglich, Fernfahrerin oder Kranführerin zu werden. Viele berufliche und außerberufliche Aufgaben sind dadurch geschlechtsneutraler geworden.

Umgekehrt ist es sogar begrenzt möglich, dass Männer ohne die Unterstützung einer Frau einen Säugling von Geburt an allein aufziehen. Die Entwicklung künstlicher Babynahrungsmittel und der gepriesene Rollentausch machen's möglich, obwohl weder Industriebrei noch ein engagierter Hausmann ein vollwertiger Ersatz für die stillende Mutter sein können, die ihrem Baby körperliche und psychische Stabilität vermittelt.

Das alles ist jedoch schnell vergessen, wenn es für Frauen derart leicht scheint, »ihren Mann zu stehen«. Sind Baggerführerinnen noch die Ausnahme, so haben sich inzwischen jedoch einige neue Berufsgruppen entwickelt, die für Frauen wie geschaffen erscheinen, weil sie den weiblichen Fähigkeiten entgegenkommen. Dazu gehört der Sektor der Dienstleistungen und die stetig wachsende Medien- und Kommunikationsindustrie. Hier können Frauen viele ihrer natürlichen Begabungen wie Sprachtalent, Verhandlungsgeschick, Flexibilität und Einfühlungsvermögen einsetzen.

Doch jeder weiß, dass ein erfolgreiches Berufsleben nicht allein davon abhängt, welche Fähigkeiten jemand besitzt, sondern vor allem auch davon, ob er sich behaupten kann. Konkurrenzdenken, Hackordnungen, Intrigen, Kampf, all das gehört zum Berufsalltag. Daher imitieren die Frauen auch in scheinbar weiblichen Berufen die Männer, deren Machtspiele und Strategien.

Wünschen wir Frauen uns aber wirklich solche Formen der Vermännlichungen? Es fällt uns offenbar heute schwer, das Männliche und das Weibliche als Grundformen der Schöpfung zu akzeptieren. Warum? Weil wir verinnerlicht haben, dass Frauen nur dann dem Mann ebenbürtig sind, wenn sie ihm nacheifern. Das jahrtausendealte Erfolgsmodell der Aufgabenteilung und die Anerkennung der Unterschiede zwischen Adam und Eva wurden hinweggefegt – weil wir uns einzig über Arbeit definieren. Das »schwache Geschlecht« muss in der Ellenbogengesellschaft Stärke beweisen, nur dann, so wird uns suggeriert, gibt es Anerkennung. Und so erobert das »Mannweib« die Zukunft – um den Preis, dass Kinder nicht mehr ins Bild passen.

Es waren vor allem die Feministinnen, die uns einreden wollten, wir müssten uns ständig mit den Männern vergleichen, ihre Vorgehensweisen übernehmen, uns an ihrer Stärke messen. Es ist längst überfällig, dieses Konkurrenzgehabe zwischen Männern und Frauen in die Mottenkiste überholter Vorstellungen zu werfen. Denn es ist genauso lächerlich, als wollten wir darüber streiten, ob der Schlüssel dem Schloss überlegen ist oder umgekehrt. Wir Frauen sollten nicht mehr konkurrieren, wir sollten uns auf unsere natürlichen Fähigkeiten besinnen. Den Streit über den Vorrang des starken oder schwachen Geschlechts können wir getrost beenden.

Schließen wir die historische Phase ab, in der Männer ihren Überlegenheitsanspruch durch religiöse und philosophische Anschauungen legitimierten und Frauen sich dagegen wehrten. Anders als in fundamentalistisch geprägten Ländern, in denen Frauen noch immer unterdrückt werden, sind wir heute in den westlichen Kulturen in der Lage, unseren Weg zu bestimmen, ohne starren Blick auf die Errungenschaften der Männer. Wir sollten endlich Schuss machen mit dem zerstörerischen Konkurrenzdenken und dem Abrechnungswahn.

Auch wenn die einst populären Emanzipationsvorstellungen heute immer noch von unbelehrbaren Feministinnen verbreitet werden, sollten wir ihre Schlachtrufe ignorieren. Die Zeit der Kämpfe ist vorbei. Die Waffen sind stumpf geworden, denn nun geht es um unser Überleben. Man kann schon jetzt prophezeien, dass die medienwirksamen Eiferinnen, die das weibliche Prinzip verdrängen wollen, bald in Vergessenheit geraten werden. Völlig zu Recht. Denn ihre Irrtümer werden immer deutlicher und ihre Aggressionen gehen ins Leere.

Wer immer noch glaubt, der Mensch könnte sich durch Zivilisation und kulturelle Selbsterschaffung von seiner ursprünglichen Natur befreien, sitzt einem gewaltigen Irrtum auf. Wenn die Emanzipation der Frau ein anstrengendes Berufs- und Karrierestreben bedeutet und dazu führt, dass die Erziehung von Kindern dramatisch einschränkt oder sogar unmöglich gemacht wird, dann wird nicht »befreit«, sondern dann wird ein wichtiger Teil der weiblichen Natur unterdrückt! Und wenn die Rahmenbedingungen für junge Mütter und Eltern immer unerträglicher werden, dann verspielen wir nicht nur die Zukunft unserer Gesellschaft, sondern auch die Chance auf ein glückliches und erfülltes Leben.

3
Das Drama der Kinder – warum wir in einer Eiszeit der Gefühle leben

Die Gründe für die hierzulande auf dem Kopf stehende Bevölkerungspyramide sind offenbar definiert: Wirtschaftlicher Druck zwingt die meisten Frauen, zu arbeiten und Geld zu verdienen, der richtige Zeitpunkt für ein Kind wird durch lange Ausbildungen und Karriereplanungen verpasst, Angst vor sozialer Unsicherheit und das mögliche Fehlen eines geeigneten Partners lassen die Mutterschaft als hohes Risiko erscheinen.

Daher sind Frauen heute oft davon überzeugt, ein Opfer zu bringen, wenn sie sich für Kinder entscheiden. Wer ein Baby bekommt, so scheint es, kann seine Pläne zur Selbstverwirklichung erst einmal an den Nagel hängen und muss mit starken finanziellen Einbußen rechnen. So jedenfalls lautet das allgemeine Urteil einer Gesellschaft, die zu den reichsten der Welt zählt. Absurd?

Noch abwegiger sind jedoch die Folgerungen, die aus diesen Annahmen gezogen werden. Wenn man sich überhaupt für Kinder entschließt, werden sie oft als Problem eingestuft, das gelöst werden muss. Und auch hier scheint die Konsequenz ausgemacht: Man sollte alles daransetzen, sie möglichst schnell in fremde Hände zu geben, wenn es nach den zurzeit beschworenen politischen Vorstellungen geht, am besten schon kurz nach der Geburt. Die Lösung heißt also, Kinder »wegzuorganisieren«.

Warum der einzige Ruf nach Rettung angesichts sinkender Geburtenraten immer wieder der nach umfassender und frühester Kinderbetreuung ist, bleibt unhinterfragt. Dennoch scheint dies das Geheimrezept für alle Beteiligten zu sein, für die Politik, die Eltern und die Unternehmen. Die Einzigen, die dem wohl nicht zustimmen würden, sind die Betroffenen selbst, unsere Kinder. Aber die werden nicht um ihre Meinung gebeten.

Wenige Wochen nach dem Erscheinen des *Cicero*-Artikels erhielt ich einen großen Briefumschlag von Kerstin G., einer Mutter von vier Kindern, die in den neuen Bundesländern lebt. Er enthielt Ausschnitte aus ihrem unveröffentlichten Manuskript *Vertreibung aus dem Paradies*, die mich tief bewegten. Kerstin schreibt darin: »Obwohl ich als Kind sehr gerne Lieder hörte und mit meiner Mutter sang, brach ich bei einem bestimmten Lied regelmäßig in Tränen aus. Selbst heute wird es mir noch unbehaglich dabei. Es war für mich ›das Lied der Krippe‹. Sowie es erklang, rief es in mir den täglichen Trennungsschmerz wach, den ich empfunden habe, wenn ich in die Krippe gebracht wurde: ›Kommt ein Vogel geflogen, setzt sich nieder auf mein' Fuß / hat ein' Zettel im Schnabel, von der Mutter ein' Gruß. / Lieber Vogel, fliege weiter, nimm ein' Gruß mit und ein' Kuss, / denn ich kann dich nicht begleiten, weil ich hier bleiben muss.‹«

Weiter hält Kerstin G. fest: »Aufgrund der Wunden, die mir mein Krippenaufenthalt geschlagen hat, brachte ich es nicht fertig, meinen eigenen Kindern Ähnliches zuzumuten.«

Es ist heute eine Selbstverständlichkeit, dass berufstätige Mütter, die ein Kind zur Welt gebracht haben, nach einem kürzeren oder längeren Mutterschaftsurlaub wieder arbeiten gehen. Neben finanziellen Gründen spielt auch eine Rolle, dass sie angesichts ihrer langjährigen Ausbildung den Anschluss nicht verlieren wollen. Zugleich sind sie unsicher, ob sie sich in einer Partnerschaft befinden, die das ganze Leben halten wird. Sie wollen sich daher alle Möglichkeiten offen halten. Und schließlich hält man es für gesellschaftlich und politisch korrekt, Kinder in die Betreuung zu geben. Auch wenn Frauen nicht gleich wieder in ihren Job zurückkehren, werden viele Kleinkinder in der Kita abgeliefert.

Mittlerweile erscheint es als altmodisch oder sogar rückständig, eines Kindes wegen längere Zeit zu Hause zu bleiben. Zwei Einflüsse spielen hier eine unheilvolle Rolle: Zum einen wurde das Ansehen der »Nur-Hausfrau« nicht nur ramponiert, sondern systematisch zerstört. Zum anderen werden in unserem kühler werdenden gesellschaftlichen Klima Frauen abfällig belächelt, die sich rückhaltlos mit der Mutterrolle identifizieren. »Affenliebe« ist ein Wort, das heute nicht selten fällt, wenn Frauen all ihre Zeit und Liebe ihrem Kind schenken. Die Konsequenz ist klar: Moderne, aufgeklärte und verantwortungsbewusste Mütter geben ihr Kind ab, ohne sich mit irgendwelchen Sentimentalitäten aufzuhalten.

Meist bringt man sein Kind zu einer Tagesmutter, in eine Krippe oder in den Kindergarten. Nur selten können Frauen auf das funktionierende System einer Großfamilie zurückgreifen, wie es bis vor wenigen Jahrzehnten noch vorhanden war. So kümmerte sich in früheren Zeiten ein ganzes Netz von Familienangehörigen – Großeltern, Tanten, Geschwister und zeitweise auch der Vater – um die Kinder und entlastete tagsüber die Mütter, die daher nicht das zu leisten hatten, was heutzutage den Vierundzwanzig-Stunden-Müttern abverlangt wird.

Ein afrikanisches Sprichwort, das von Kinderpsychologen gern zitiert wird, lautet: »Zur Erziehung eines Kindes braucht man ein ganzes Dorf.« Damit ist gemeint, dass es für ein Kind sehr förderlich sein kann, mit mehreren festen Bezugspersonen aufzuwachsen. Voraussetzung ist allerdings, dass diese nicht ständig wechseln, sondern eine dauerhafte und zuverlässige Bindung mit dem Kind eingehen.

Heute gehören Krippe, Tagesmutter und Kindergarten zu den anerkannten Ersatzvarianten. Wie kontinuierlich aber die Betreuerinnen im Leben unserer Kinder wirken können, hängt von den Umständen ab. Sicher kann sich keine Mutter sein, dass die Dauerhaftigkeit bei diesen Betreuungsformen gewährleistet ist, dass sich wirklich eine verlässliche Beziehung aufbaut.

Aber was bedeutet zuerst einmal der Vorgang des »Abgebens«? Was spielt sich im Inneren eines Säuglings oder Kleinkindes ab, das beim morgendlichen Abliefern verzweifelt weint und schreit?

Kerstin G. schildert das anschaulich in ihrem Brief: »Es scheint mitten in der Nacht zu sein. Draußen ist es noch dunkel. Aber ich stehe bereits angezogen mit meinem grünen Lodenmäntelchen im Treppenflur unseres Wohnhauses. Meine Mutti nimmt mich an der Hand, und wir gehen los. Kalt pfeift der Wind zwischen den Neubaublöcken hindurch. Wir gehen über einen freien Platz. Da weht der kalte Wind bis tief in mich hinein, und Verzweiflung würgt im Hals. Dort ist das Haus, in dem ich schon einmal war und wohin ich jetzt wieder gebracht werde. Aber warum? Da sind wir auch schon in der Eingangstür. Ein Summer ertönt. Die Tür geht auf und gibt den Blick frei auf eine weiße Schürze. Ich klammere mich an meiner Mutti fest und schreie ... bestehe nur noch aus panischer Angst. Ein fester Griff umfängt mich. Die Tür geht zu. Die Mutti ist fort!

Warum? Warum gibt sie mich hier ab und geht fort? Ohne mich?

Ich schreie, schreie, schreie ... schlage um mich. Vor lauter Tränen kann ich nichts sehen.«

Welche Mutter kennt das nicht? Schon beim Anziehen weint das Kind, ist nervös oder auffällig still, weil es nicht in die Krippe möchte. Jeder Schritt dorthin wird zur Tortur, und wenn die Erzieherin schließlich das Kleine an die Hand nimmt und der Mutter ein Zeichen gibt, dass sie sich heimlich fortschleichen möge, spätestens dann ist es mit der Beherrschung des Kindes vorbei. Schreien, Weinen, Zappeln, das sind die Signale, mit denen es versucht, der täglichen Trennung zu entgehen. Die Erzieherin beschwichtigt und beruhigt: »Sobald Sie raus aus der Tür sind, ist hier Ruhe und Ihr Kind hat Sie vergessen!«

Wir atmen durch, sind froh – und die Verantwortung für die nächsten Stunden los. In kleinen Momenten der Besinnung jedoch tickt in uns das schlechte Gewissen der Rabenmutter. Machen wir etwas falsch? Quälen wir es am Ende? Nimmt es Schaden?

Nein, sagt die Politik. Nein, meint der Kindergarten, alles bestens, hier sind Kinder unter ihresgleichen, profitieren voneinander und entwickeln sich hervorragend. Nein, sagen auch die feministischen Frauengruppen, der Begriff »Rabenmutter« ist typisch deutsch und einfach lächerlich. Achtung!, warnen dagegen Psychologen, Psychotherapeuten und Verhaltensforscher. Das Wohl unserer Kinder hängt entscheidend von der Qualität der Krippe oder Kita ab! Und um jene ist es in Deutschland schlecht bestellt.

Ob eine Krippenbetreuung generell das Heranwachsen von Kindern positiv beeinflusst, ob es ihre Entwicklung beeinträchtigt oder fördert, darüber wird immer wieder kontrovers diskutiert. Je nach ideologischem Standpunkt, persönlicher Prägung oder wissenschaftlichen Erkenntnissen fallen die Antworten unterschiedlich aus.

Der Drill der DDR-Krippen

Werfen wir einen Blick auf ein Land, das einst das System der organisierten Kinderbetreuung perfektioniert hatte: die DDR. Dort hatte die Politik die Grundlagen für eine flächendeckende Verbreitung von Betreuungseinrichtungen geschaffen. Und es blieb den Müttern in aller Regel keine andere Wahl, als ihre Kinder dort abzugeben, denn sie mussten –

nach staatlichen Richtlinien – nach einer Geburt wieder arbeiten gehen. Das umfangreiche Betreuungsprogramm hatte zudem ein ideologisch ausgerichtetes Ziel; man wollte schon früh politischen Einfluss auf die Kinder ausüben, um sie beizeiten zu linientreuen, sozialistischen Bürgern zu formen.

»Nur-Mütter« waren in der DDR verpönt. Eine Frau, die nicht arbeiten ging, trug den Stempel der Asozialen, da sie sich nicht am Kollektivschaffen beteiligte. »Es gab nicht viele Mütter, die bei ihren Kindern zu Hause blieben, aber die wenigen, die das taten, waren gesellschaftlich erledigt. Mit ihren Kindern wollten wir damals nichts zu tun haben, sie wirkten immer sonderbar und komisch auf uns«, so die Aussage von Barbara, einer jungen berufstätigen Journalistin, die in der ehemaligen DDR aufwuchs.

Für Kerstin G. endete das Drama des fortwährenden Trennungsschmerzes nur, weil ihre Mutter den Mut aufgebracht hatte, sich dem geforderten Frauenbild zu widersetzen: »Meine Mutter beendete ihre Erwerbstätigkeit, als ich zweieinhalb Jahre alt war. Sie hatte unter der Situation, mich abgeben zu müssen, ebenso gelitten wie ich. Für diese Entscheidung bin ich meinen Eltern unendlich dankbar. Trotz des geringen Einkommens meines Vaters, trotz der Schikanen und Nachteile, die er als Lehrer wegen seines ›bürgerlichen‹, nicht-sozialistischen Lebensstils hinnehmen musste, und trotz der spitzen, verständnislosen Bemerkungen, die meine Mutter aus dem Kollegen- und Bekanntenkreis zu hören bekam, haben sie sich durch nichts mehr von dieser Entscheidung abbringen lassen. Sie haben mir und meiner Schwester eine glückliche Kindheit in einer liebevollen, annehmenden Familienatmosphäre – ein warmes Nest in einer kalten Zeit – geschenkt.«

Im heutigen Deutschland ist es üblich, dass bereits während der Schwangerschaft geplant wird, wie lange die Mutter nach der Entbindung bei ihrem Kind bleiben wird und wie die weitere Betreuung aussehen soll. Der Arbeitgeber will ja Bescheid wissen, und angesichts knapper Arbeitsplätze ist der Wiedereinstieg in den Beruf ein Recht, das genutzt werden sollte, so die verbreitete Meinung.

Das alles klingt zunächst logisch und vernünftig, doch etwas Wichtiges wird dabei übersehen: Keine Frau kann vor der Entbindung beurteilen, welche Empfindungen sie nach der Geburt haben wird. So passiert es nicht selten, dass sie zunächst davon überzeugt ist, so schnell wie möglich wieder berufstätig sein zu wollen. Doch wenn sie erst einmal Mutter geworden ist und Gefühle wie Liebe und Zuwendung entstanden sind, dann ist es häufig nicht einfach, das einmal gegebene Wort an den Arbeitgeber einzuhalten. Tief in ihrem Inneren spürt sie, dass nicht nur das Baby seine Mutter braucht, sondern dass auch sie selber, die sie neun Monate lang ihr Kind unter dem Herzen trug und dann auf die Welt brachte, nichts dringender ersehnt, als das kleine Menschenkind in ihrem Arm zu halten, seine Nähe wahrzunehmen und es lieben zu dürfen.

An dieser Stelle darf ein wichtiger Umstand nicht außer Acht gelassen werden: die häufig fehlende Verantwortungsbereitschaft der Väter und der Gesellschaft. Es gibt durchaus Familien, in denen der regelmäßige Besuch eines Kindes in der Kita empfehlenswert ist. Frauen, die aus finanziellen Gründen gezwungen sind, Geld zu verdienen und regelmäßig zu arbeiten, werden oft alleine gelassen mit allen Pflichten und ins Abseits gedrängt. Das belastet sie nicht nur schwer, sondern erhöht das Leid der Kinder enorm. Die Folge, so Dr. Bensel: »Überforderte, zeitlich und orientierungsmäßig allein gelassene Vierundzwanzig-Stunden-Mütter oder überforderte Eltern, die ihr Baby (zu Tode) schütteln, ihre Kinder körperlich, sexuell oder psychisch misshandeln, emotional und kognitiv vernachlässigen. Kindern aus solchen Familien können alternative Lebenswelten außer Haus nur guttun.«

Die Frage, ob sich Kleinstkinder für eine außerfamiliäre Betreuung entscheiden würden, kann kaum beantwortet werden. Eines ist jedoch sicher: Zu Beginn ihres Lebens, in den ersten Monaten, würden sie das ganz bestimmt nicht tun – wobei nicht die Betreuungseinrichtung als solche schreckt und auch nicht die vielen anderen Kinder. Es ist hauptsächlich die Trennung von Vater und Mutter, die für Kinder unter drei Jahren als beängstigend empfunden wird und massive Panikgefühle auslöst.

Die Bindungsforschung geht davon aus, dass Babys und Kleinstkinder zuerst Sicherheit und Vertrauen zu ihren Eltern entwickeln müssen, bevor sie bereit sind, sich in unbekannte Situationen zu begeben, in denen sie auf sich allein gestellt sind. Diese Sicherheit ist die Voraussetzung für den Erwerb der Fähigkeit, sich auf sich selbst zu verlassen und sich später von den Eltern ablösen zu können. Selbstsicherheit als Persönlichkeitsmerkmal ist ohne eine gewachsene Vertrauensbeziehung unmöglich, betonen die Bindungsforscher Karin und Klaus E. Grossmann, die unter anderem durch die »Regensburger Längsschnittstudie« führend auf ihrem Wissenschaftsgebiet wurden.

Ihre These wird beim Blick auf verschiedene Kulturen bestätigt. Die Beziehungsformen zwischen Mutter und Säugling sind in traditionellen Gesellschaften einander so ähnlich, dass man von einem natürlichen Grundmuster des Menschen sprechen kann. Es hat ebenso für unsere westlichen Industriegesellschaften Gültigkeit.

In allen Naturvölkern tragen die Mütter den Säugling stets am Körper. Bei häuslichen Arbeiten, Garten- und Sammeltätigkeiten, bei den Wanderungen der Nomaden, bei Tänzen und Festen: Immer befindet sich das Baby auf der Rücken- oder Bauchseite der Mutter.

Der Leiter der Abteilung Pädiatrische Psychosomatik und Psychotherapie im Dr. von Haunerschen Kinderspital an der Ludwig-Maximilians-Universität München, Dr. Karl Heinz Brisch, berichtet, dass heutzutage im südamerikanischen Bolivien Aymara-Mütter, die einen sehr großen indigenen Bevölkerungsanteil im Andenraum darstellen, selbstverständlich ihr Baby – teilweise sogar bis zum Alter von zwei bis drei Jahren – während ihrer verschiedensten Tagesaktivitäten in einem großen bunten Tuch auf dem Rücken mit sich herumtragen. Eine Lehrerin bringt ihr Kind auf dem Rücken mit zum Unterricht, zwischendurch wickelt und stillt sie, während ihr Kind sonst beim Unterricht zuhört und zuschaut, oder auch schläft. Es wäre für die Schulkinder unverständlich, wenn eine Mutter nach der Geburt ohne ihren Säugling wieder zum Unterricht käme. Sofort würden sich die Kinder fragen: Wo ist das Baby und warum hat die Mutter es nicht mitgebracht? Alle Kinder schlafen nachts in engem Körperkontakt mit ihren Eltern. Erst im Alter von fünf, sechs Jahren »wandern sie aus« und schlafen getrennt von ihren Eltern in einem eigenen Bett, oft aber im selben Raum mit ihren Eltern. Wenn ein Kind nachts aufwacht und etwa Angstträume hat, kann es sich jederzeit ohne große Mühe durch Körperkontakt mit seinen Eltern wieder beruhigen und emotionale Sicherheit finden.

Die Sinne eines kleinen Kindes, so die amerikanische Verhaltensforscherin Jean Liedloff, werden durch die enge körperliche Nähe von Mutter und Kind mit einer enormen Vielfalt von Ereignissen konfrontiert und geschult. Die Wissenschaftlerin verbrachte mit Unterbrechungen zwölf Jahre bei den Yequana-Indianern im venezolanischen Urwald, um herauszufinden, warum dieses kleine, abgeschieden lebende Volk ohne Kriege und Streit und in völliger Harmonie miteinander auskommt. Ihr Resümee: Der Schlüssel liegt in der Kindererziehung. Von Geburt an werden die Kinder getragen, frühzeitig mit Verantwortung betraut und mit großem Respekt behandelt. Der frühkindlichen Betreuung kommt besondere Aufmerksamkeit zu. Großer Wert wird auf konstanten, intensiven Körperkontakt gelegt. Dazu gehört ständiges Tragen bei aufrechter Haltung des Kindes, mehrjähriges Stillen, ein hohes Maß an Kommunikation sowie intensive Reaktionen der Mutter und der Familie auf die Mimik und die Gestik des Babys.

Die ausführliche Beschäftigung mit dem Säugling beruht auf einer erfolgreichen Überlebensstrategie. So unterscheiden die Biologen bei der Typisierung von Tierjungen zwischen »Nesthockern« und »Nestflüchtern«. Nestflüchter besitzen gleich nach der Geburt voll ausgebildete und deswegen funktionstüchtige Sinnesorgane, die es ihnen möglich machen, der Mutter zu folgen – so kann beispielsweise ein Fohlen sofort nach der Geburt mit der Mutter auf die Weide gehen.

Die Nesthocker dagegen sind bei den Fellträgern meist nackt, haben geschlossene Augen und Gehörgänge und sind unfähig zu Fortbewegung und Nahrungssuche. Deswegen benötigen sie eine außerordentliche Zuwendung und Betreuung.

Wenn man die Unterscheidung von Nestflüchtern und Nesthockern auf den Menschen überträgt, ist es offensichtlich, dass dieser eher zur zweiten Kategorie gehört. Er ist bei seiner Geburt hilflos und nicht in der Lage, sich allein fortzubewegen. Biologen haben aber noch einen dritten Typus bestimmt: den »Tragling«. Der menschliche Säugling wird aus biologischer Perspektive zu diesen Traglingen gezählt, obwohl es ihm im Gegensatz zu den Menschenaffen, die sich an das Fell ihrer Mutter klammern, nicht gelingt, sein eigenes Gewicht zu tragen. Hände und Füße weisen aber noch Klammerreflexe auf, auch wenn sie sich während der ersten drei Monate seines Lebens abbauen. Das Bedürfnis eines Babys nach ständigem Körperkontakt und Getragenwerden ist also vollkommen natürlich.

Deshalb erscheint es auch als konsequent, dass Naturvölker ihre Neugeborenen grundsätzlich nie alleine schlafen lassen. So können sie den Einschlafpunkt selbst bestimmen und haben durch den stetigen Körperkontakt keine Probleme, zur Ruhe zu kommen – im Gegensatz zu den meisten Kindern der westlichen zivilisierten Völker.

Die Mutter ist in den Naturvölkern Nahrungsquelle, Sicherheitsbasis und Ort der Zärtlichkeit und Wärme. Von dieser Vertrauensbasis aus erkunden die Kleinkinder ihr Umfeld und lernen, sich mit wachsender Selbständigkeit zurechtzufinden. Diese wird in fast allen traditionellen Gesellschaften relativ früh gefördert. Nur eine frühkindlich stabile Bindung erlaubt eine spätere Ablösung, die in die stabile Selbstsicherheit des Menschen führt.

Auch für den Säugling westlich geprägter Kulturen ist die wichtigste Hauptbindungsperson im Idealfall die Mutter. Sie ist dem Kind emotional am nächsten und besitzt daher die größte Feinfühligkeit, wenn es um Interaktion, um ein Miteinander geht. Die wichtigsten Verknüpfungen entstehen über den Blickkontakt, die Sprache, das Verhalten, den Rhythmus und die Berührung. Die Tatsache, dass wir in einer technisch hochgerüsteten Zeit leben, ändert nichts daran, dass die Bedürfnisse unserer Kinder seit unseren Anfängen dieselben geblieben sind.

Die innige Wechselwirkung, die zwischen dem Erwachsenen und dem Kind entsteht, erzeugt in dem Baby das Gefühl, verstanden zu werden. Der Erwachsene signalisiert: Ich erkenne deine Bedürfnisse, ich nehme dich ernst! Während dieses innigen Miteinanders wird das Bindungshormon Oxytocin ausgeschüttet, das die Einheit zwischen Mutter und Kind festigt und verankert. Dieser auch für die Mutter enorm wichtige Vorgang findet im ersten Lebensjahr des Säuglings statt. Die emotionale Zugehörigkeit an die Hauptbindungsperson sichert das Überleben des Babys.

Anhand weltweiter Untersuchungen in Waisenhäusern haben Wissenschaftler übereinstimmend die Erkenntnis gewonnen, dass Kinder, die nicht genügend Bemutterung und Zuwendung erhielten, krank wurden, außerdem affektlos, nahezu gleichgültig. In vielen Fällen litten sie an Zwergwuchs und Unterernährung, ihre intellektuellen Fähigkeiten blieben zurück, einige starben.

Wenn ein Kind in Angst- und Trennungssituationen gerät, wird das so genannte Bindungsbedürfnis aktiviert. Es äußert sich bei den Säuglingen durch Weinen, Schreien und Verzweiflung. Einjährige und ältere Kinder, die bereits laufen können, werden alles daransetzen, so schnell wie möglich zurück in die unmittelbare Umgebung des vertrauten Menschen zu gelangen. Gelingt das und die Mutter nimmt ihr Kind auf den Arm und tröstet es, dann beruhigt sich das Kleine sofort. Durch die körperliche Nähe zur Bindungsperson wird die Beziehung sofort wieder sicher.

Es ist ein Alarmzeichen, wenn ein Kind auf das Verlassenwerden von der Mutter nicht reagiert, so Karl Heinz Brisch in seinem mit dem Kinderarzt Theodor Hellbrügge herausgegebenen Buch *Die Anfänge der Eltern-Kind-Bindung.* Kinder, die derartiges Verhalten nicht zeigen, weder durch Weinen noch durch Hinterherlaufen, sind nicht etwa besonders stabil, sondern stehen unter extremem Stress. Sie haben innerlich aufgegeben, haben resigniert, denn sie mussten diese Umstände schon früher häufig durchmachen und wissen, dass jeder Protest zwecklos ist. Doch so ruhig sie sich auch nach außen geben, so angespannt sind sie in ihrem Inneren.

Derselbe Prozess gilt ebenso für das Einschlafen von Kindern. Häufig versteckt sich hinter dem angeblichen Erfolg, das Kleine schlafe ohne Probleme ein, eine tiefe Entmutigung nach vielen erfolglosen Schreiversuchen und der Aussichtslosigkeit, von den Eltern erhört zu werden.

Was die Kinder dabei erleben, ist pure Angst. Diesen Zustand höchsten psychischen Drucks können Wissenschaftler auch chemisch nachweisen: Das Stresshormon Cortisol wird in großen Mengen ausgeschüttet, ein Vorgang, der sich bei andauernder Stressaktivierung mit hohen Dosen von Cortisol nachhaltig negativ auf die körperliche und geistige Entwicklung auswirken kann.

Was heute bei Betreuungseinrichtungen zur täglichen Trennung erschwerend hinzukommt: Nur selten gewähren Mutter und Erziehungspersonal den Kindern eine angemessene Eingewöhnungszeit. Es reicht nicht aus, dass die Eltern während der ersten Krippentage noch für einige Minuten dableiben. Auch kann man nicht alle Kinder gleich behandeln und mit Faustregeln wie einer zweiwöchigen Eingewöhnungsphase verfahren. Vielmehr ist die Gestaltung der Eingewöhnung ein allmählicher und von Kind zu Kind unterschiedlich lang dauernder Prozess, der viel Geduld erfordert. Es muss darauf geachtet werden, dass ausreichend Rücksicht auf die Bedürfnisse des Kindes genommen wird.

Daher ist eine Vorgehensweise nach starr festgelegtem Zeitplan nicht zu empfehlen. Das Kind braucht viel Raum und Dauer, um sich an die neuen Betreuerinnen, die fremde Umgebung, die zahlreichen Eindrücke zu gewöhnen. Besonders kleinere Kinder oder Säuglinge können sich nicht konkret genug äußern, was ihre Hilflosigkeit und ihre Ohnmachtgefühle verstärkt.

Bei ausreichender Eingewöhnungszeit gelingt es dem Kleinkind aber, von der Mutter als sicherer Basis aus, eine neue emotionale Bindung zur Erzieherin aufzubauen. Dies geht umso stressfreier, je sicherer sich das Kind in Anwesenheit der Mutter fühlt. Wenn sein Bindungsbedürfnis nicht aktiv ist, weil die Mutter als »emotionaler Hafen« Sicherheit vermittelt, kann das Neugierverhalten des Kindes einsetzen, mit dem es sich allmählich auf die Erzieherin und die vielen interessanten Spielzeuge und neuen Spielgefährten einlassen kann. Springt die Mutter aber gleich davon, ist das Bindungsbedürfnis so aktiviert, dass das Kind sehr damit beschäftigt ist, seine Mutter zu suchen. Es vermag sich daher nur zögernd auf neue Erfahrungen mit anderen Menschen oder Spielzeugen einzulassen. Während dieser Eingewöhnungszeit sollte das Kleinkind möglichst immer von ein und derselben Erzieherin begrüßt und begleitet werden, damit zumindest diese »seine« Erzieherin für das Kleinkind zu einer weiteren spezifischen Bindungsperson werden kann.

Bei ausreichender Eingewöhnungszeit hilft es dem Neuling, zu beobachten, dass die anderen Kinder bereits positive Beziehungen zu den Betreuern entwickelt haben. Und auch für die Eltern ist diese behutsame Methode eine Chance, eigene Ängste abzubauen und Vertrauen in das Tun der Erzieherinnen zu entwickeln.

Doch so läuft es leider viel zu selten ab. Es ist schwierig, sich als Mutter oder Vater den eingefahrenen Regeln einer Betreuungsstätte zu widersetzen. Man braucht viel Mut und innere Überzeugung, um sich durchsetzen zu können, um das Richtige für sein Kind zu tun. Und da man weiß, dass sowohl die Erzieherinnen als auch die Mütter diese für alle so unangenehme Phase meist möglichst schnell hinter sich bringen wollen, werden die Bedürfnisse des Kindes in vielen Einrichtungen übergangen.

Zwar waren die Eingewöhnungsmaßnahmen vor einigen Jahren deutlich drastischer als heute, doch leiden immer noch viel zu viele Kleinstkinder (Ein- und Zweijährige) unter dem

Trennungsstress und seinen Folgen, sagt Dr. Joachim Bensel von der Forschungsgruppe Verhaltensbiologie des Menschen in Kandern. Und das, so Bensel, bleibe nicht ohne Konsequenzen. Bei einem Kind, dem nicht genügend Eingewöhnungszeit gewährt wird, kann sich das gesamte Bindungsverhalten verändern. Es wird von massiven Verlassensängsten befallen, und dies bedeutet Verunsicherung in der Bindung zur Mutter, Stress und unkonzentriertes Erkunden und Spielen für das Kind. Bensel und seine Kollegen gehen davon aus, dass die Folgen der täglich wiederkehrenden Belastung unter anderem die Entwicklung des kindlichen Gehirns negativ beeinflussen können. Durch den enormen emotionalen Stress entsteht eine dauerhafte Belastung, die nicht alle Kinder bewältigen können.

Karl Heinz Brisch berichtet, dass bei Kindern, die unter extremer Vernachlässigung und fehlender emotionaler Betreuung durch eine Bindungsperson aufwachsen, durch eine ständige Aktivierung des Stresshormons Cortisol Neuronen im noch wachsenden Kindergehirn zerstört und abgebaut werden können. Die Folgen für Kinder mit extremen Störungen dieser Art: Ihr Gehirn ist kleiner als das ihrer Altersgenossen. Weiter wird deutlich, dass neben diesen schweren Beeinträchtigungen des Gehirns ebenso der Aufbau einer sicheren, emotionalen Bindung nicht gelingen kann. Diese Kinder können – als bleibendes Muster – daher in späteren Beziehungen, in denen etwa wie bei einer Partnerschaft auch die Bindungsfähigkeiten gefordert sind, große Schwierigkeiten haben.

Der Begriff »Prägung« wurde bekannt durch den Verhaltensforscher Konrad Lorenz, der ein berühmt gewordenes Experiment mit Graugansküken durchführte. Direkt nach dem Schlüpfen präsentierte er sich ihnen als »Mutter«. Fortan folgten die Küken ihm auf Schritt und Tritt, selbst im Wasser schwammen sie hinter ihm her. Sie waren auf den Wissenschaftler »geprägt«, weil Graugansküken sich auf das erste bewegte Objekt »prägen«, das sie nach dem Schlüpfen sehen. So wurde Lorenz von den Kleinen als Muttterersatz anerkannt, der sie versorgte, hegte und bemutterte.

Während die »Prägung« der Graugansküken auf ihre Mutter – wie bei vielen anderen Tierarten auch – unmittelbar nach dem Ausschlüpfen erfolgt, entwickelt sich dagegen die Bindung eines Säuglings an seine Bindungsperson über das ganze erste Lebensjahr und verfestigt sich im zweiten Lebensjahr. Spätestens bis zu diesem Alter hat ein Kleinkind ein »inneres Arbeitsmuster« in seinem Gehirn abgespeichert, das ihm sagt, wie es sich in Situationen verhalten muss, wenn es etwa plötzlich von seiner Bindungsperson getrennt wird. Das spezifische Arbeitsmuster sagt ihm, ob es weinen, protestieren und nach der Bindungsperson rufen oder ob es diese Impulse unterdrücken und seiner Bindungsperson signalisieren soll, dass es schon alleine zurechtkommt, obwohl es innerlich sehr aufgeregt ist und große Angst hat. Solche frühen Bindungsverhaltensweisen können bis ins Erwachsenenleben bestehen bleiben.

Ganz im Gegensatz zur Prägung im Tierreich ist das menschliche Gehirn aber immer offen für neue Erfahrungen.

Macht ein Kind mit der Erzieherin im Kindergarten oder auch mit anderen Personen im späteren Leben, auch mit Partnern, über einen längeren Zeitraum eine sichere emotionale Erfahrung, so können frühe unsichere Bindungserfahrungen korrigiert und in Richtung einer sicheren Bindung verändert werden. Eine solche Veränderung der frühen Bindungsmuster kann ebenso durch eine neue emotionale Erfahrung in einer Psychotherapie bewirkt werden.

Es ist bedeutungsvoll, dass alle Muster, die wir in den ersten Lebensjahren erlernen, uns für den Rest unseres Daseins begleiten, uns formen und unseren Charakter nachhaltig beeinflussen. Erfahren wir in dieser Zeit Liebe und Bindung, dann sind dies später die Säulen, auf denen unser eigenes Verhalten anderen Menschen gegenüber beruht. Wer als Kind und Säugling genügend Liebe bekommt, kann sie weitergeben, wer sie nicht umfassend kennen lernt, erlebt Lücken, leidet unter Bindungsstörungen, kann sich in der menschlichen Gemeinschaft nicht genügend entfalten und einordnen. Das betrifft alle sozialen Beziehungen, sei es nun die innerhalb einer Gruppe, in einer Partnerschaft, das Verhältnis zu den Eltern oder später zu eigenen Kindern.

Viele Studien, die die Entwicklung von Kindern über Jahre vom Säuglings- bis ins Erwachsenenalter untersucht haben, belegen, dass die Intensität der liebevollen Bindung zwischen Kindern und Eltern bestimmt, ob ein Mensch später befriedigende, erfüllte und langfristige Bande mit anderen haben wird oder ob er bindungsarm und kontaktscheu lebt.

Solche Argumente werden gern überhört und verdrängt, wenn Politiker und vermeintlich emanzipierte Mütter eine immer frühere Fremdbetreuung für Kinder fordern. Dabei sind bereits jetzt die Folgen spürbar, die der Trend zum frühen Abgeben der Kinder erzeugt: Wenn bindungsgestörte Kinder selbst Eltern werden, fehlt ihnen ohne Bewusstmachung dieses Problems meist der notwendige emotionale Zugang zu ihrem Nachwuchs. Aber selbst wenn sie sich darüber bewusst würden, könnten sie sich erst nach eigenen neuen Erfahrungen von Liebe und emotionaler Sicherheit ihren Kindern gegenüber zugewandter verhalten.

Kinderpsychologen und Frauenärzte beobachten derzeit bei Müttern deutlich zunehmende Unsicherheiten und sogar ein Desinteresse im Umgang mit ihren Kindern. Ungefähr 15 Prozent aller Mütter leiden nach der Geburt ihres Kindes unter einer Störung, die auch als »postpartale Depression« bezeichnet wird. Obwohl sie ein gesundes Kind zur Welt gebracht haben, sitzen diese Mütter traurig zu Hause, freuen sich nicht an ihrem Kind, sind lustlos und niedergeschlagen, und es fällt ihnen schwer, ihren Alltag zu bewältigen. Wenn ihre Not nicht erkannt wird und sie rasch fachgerechte Hilfe bekommen, hat dies langfristig Auswirkungen auf die Entwicklung ihres Kindes. Ist die Erkrankung sehr ausgeprägt, sodass die Mutter kaum mehr ihren Säugling und sich selbst versorgen kann, wird die Mutter oft stationär in einer psychiatrischen Klinik behandelt. In Deutschland müssen sich leider viele Mütter immer noch von ihrem Säugling trennen, wenn sie für eine Zeit stationär behandelt werden müssen, weil es hierzulande viel zu wenige so genannte Mutter-Kind-Einheiten in psychiatrischen Krankenhäusern gibt. In diesen werden Mutter und Säugling gemeinsam aufgenommen. Die Mutter kann in der Regel mit Unterstützung durch eine Pflegeperson ihr Kind weiter versorgen, während sie selbst eine fachgerechte Therapie bekommt. Dagegen hat in England fast jede psychiatrische Klinik eine solche »Mother-Baby-Unit«, sodass eine Trennung von Mutter und Kind nicht notwendig wird. Ist die depressive Erkrankung nur mittelschwer ausgeprägt, wird sie oft gar nicht erkannt und die Mütter erhalten statt einer Behandlung viel Unverständnis und kritische Bemerkungen, warum sie denn angesichts eines gesunden Säuglings nicht glücklich strahlende Mütter seien, sondern die Welt so schwarz sähen.

Auch später wird diese leidvolle Vergangenheit selten von den Müttern und Vätern aufgearbeitet. Für die Kinder bleibt alles tief im Bereich des Unbewussten verborgen, was sie mit einer depressiven Mutter erlebt haben – bis das alte Muster womöglich mit dem eigenen Mutter- oder Vatersein wieder erwacht. Dann kann es passieren, dass die Mütter, und übrigens auch die Väter, ihre negativen Erfahrungen an ihre Kinder weitergeben. Diese frühen Erfahrungen und Handlungsmuster werden so lange an die folgenden Generationen übertragen, bis ein Glied dieser Familienkette den unheilvollen Kreislauf durch Bewusstmachung, Bearbeitung und Bewältigung unterbricht, wie es in einer Psychotherapie erfolgen kann. Erst dann ist der Bann gebrochen, und neue Chancen entstehen für die folgenden Generationen.

Karl Heinz Brisch schildert ein beklemmendes Beispiel aus seiner Kinderpraxis. Eines Tages erschien eine gut aussehende, gepflegte junge Frau mit ihrem Säugling. Die Mutter hatte Angst, dass sie ihr Kind verletzt haben könnte. Sie erzählte, sie habe mit ihrem Kind vergnügt gespielt und dieses habe sie schließlich an ihren Haaren gezogen. In diesem Moment sei bei ihr eine Sicherung durchgebrannt, kommentierte sie ihre spontane heftige Reaktion. Sie habe ihr Kind hochgerissen und grob geschüttelt. Die Mutter war im Nachhinein fassungslos über ihr eigenes Verhalten, weil sie befürchtete, dass ihr Baby durch das Schütteln Gehirnblutungen erlitten haben könnte.

Der Arzt befragte sie, welche Bilder aus ihrer Kindheit in ihr aufkämen, wenn sie daran denke, an den Haaren gezogen zu werden. Nach einiger Zeit fiel der Frau eine lange verdrängte Schlüsselszene aus ihrer Kindheit ein. Als sie einmal als Jugendliche abends zum Tanzen gehen wollte, erlaubten ihr die Eltern dies nicht. Es kam zum Streit, sie versuchte, trotz des Verbots das Haus zu verlassen. Doch der Vater lief hinter ihr her und riss sie an den Haaren, um sie zurückzuholen. Dies führte zu einem heftigen Kampf zwischen den beiden.

»Dieser Kampf ist ein traumatisches, unverarbeitetes Erlebnis aus der eigenen Kindheit der Mutter. Das Erlebnis, durch den eigenen Säugling an den Haaren gezogen zu werden, wurde zu einem Auslöserreiz, einem so genannten Trigger, der alle damit verbundenen unbewussten Gefühle von Wut und Erregung im Bruchteil einer Sekunde wieder mit dem eigenen Säugling in Erinnerung und in Aktion gerufen hat«, erklärt Brisch. »Wir Menschen speichern solche Erlebnisse. Jahrelang passiert nichts. Doch sofern wir mit diesem Muster wieder konfrontiert und durch einen Auslöserreiz daran erinnert werden, kann es bei unverarbeiteten Erlebnissen zu solchen Katastrophen mit Impulsdurchbrüchen auch gegenüber den eigenen Kindern kommen. Die Hilfe besteht darin, den Eltern zur Verarbeitung ihrer eigenen Kindheitserlebnisse eine Psychotherapie anzubieten, um den Teufelskreis der Weitergabe von einer Generation an die nächste zu durchbrechen.«

Vernachlässigung, körperliche, emotionale und sexuelle Gewalt, gerade wenn sie den Kindern durch die eigenen Eltern zugefügt wurden, vielfach wechselnde Beziehungssysteme und häufige Verluste von Bezugspersonen in der Kindheit – all das können Ursachen für Bindungsstörungen von Erwachsenen sein. Lange bleiben sie unsichtbar, und doch sind sie wie eine Zeitbombe, deren Uhr tickt. Gespeicherte Affekte wie Wut, Scham oder Ekel werden in vergleichbaren Situationen gewissermaßen ungefiltert auf die eigenen Kinder, sogar auf völlig wehrlose Babys übertragen. Das Umfeld ist meist so fassungslos wie die Betroffenen selber, denn nach außen hin erscheinen diese Menschen oft völlig unauffällig.

Auch wenn Vernachlässigung und Konflikte in der Kindheit nicht immer zu derart gewalttätigen Situationen führen wie in dem geschilderten Beispiel, so gehören Spätfolgen einer Bindungslosigkeit bereits zu den Symptomen unserer Gesellschaft. Gefühlsarmut, Bindungsunfähigkeit, fehlende Einfühlung für Mitmenschen, Lieblosigkeit – solche Verhaltensauffälligkeiten sind mittlerweile Alltag.

Häufig beenden Menschen mit frühen traumatischen Bindungserfahrungen vorzeitig ihre Beziehungen, um gar nicht erst Gefahr zu laufen, wieder verlassen zu werden. Manche von ihnen sind stark gefährdet, weil sie sich unbewusst in Gefahr begeben und sogar Unfälle verursachen, um Mitleid und Nähe zu erzwingen. Erzieherinnen und Mütter können diesen Mechanismus auch bei Kindern beobachten. Wenn die Kleinen beispielsweise über Bauchweh klagen, so verbirgt sich dahinter oft nichts weiter als der uneingelöste Wunsch nach Nähe. Erst durch den beklagten körperlichen Schmerz erfahren die Kinder dann in der Tröstung jenen innigen Körperkontakt, nach dem sie sich sehnen. Jede Mutter wird diesem Impuls folgen, vorausgesetzt, dass sie körperlich und auch emotional anwesend ist. Und tatsächlich erleben diese Kinder real Bauchschmerzen, denn Alleinsein und Trennungsschmerz erzeugen eine große körperliche Erregung, die bei Kindern gerade auch denjenigen unbewussten Teil unseres Nervensystems aktiviert, der Magen und Darm versorgt. Oftmals jedoch winken Erzieherinnen und Mütter ab, in der Annahme, dem Kind fehle nichts oder es wolle sich nur interessant machen.

Es liegt auf der Hand, dass eine Erzieherin, die bis zu zehn, zwölf Kinder gleichzeitig betreuen muss, weder die Zeit noch die Energie aufbringt, derartigen Wünschen nachzukommen. Unbewusst gefährden sich manche Kinder dann, um die Dringlichkeit zu steigern. Sie fallen hin, verletzen sich, ziehen sich Wunden zu, die versorgt werden müssen. Eine traurige Taktik.

Familientragödie der neuen Länder

Auch die gegenwärtig deutlich ansteigende Aggression in unserer Gesellschaft hat ihre Wurzel meist in einer Kindheit, die von ständiger Angst vor dem Verlassenwerden bestimmt wurde. Es ist offensichtlich, dass unsere Gesellschaft zunehmend verroht. Das Fehlen von Verantwortungsbewusstsein, Nächstenliebe und Gemeinschaftssinn führt dazu, dass die tägliche Berichterstattung über Gewaltverbrechen, Vandalismus, Kindesmissbrauch zunimmt. Es sind dies die sichtbaren Resultate aus dem unhinterfragten Verhalten, unsere kleinen Kinder, die unserer Liebe und Zuwendung so stark und dringend bedürfen, früh aus dem Haus in fremde Hände zu geben.

Psychologen und Bindungsforscher weisen in diesem Zusammenhang immer wieder darauf hin, dass besonders die Erziehungsmethoden der DDR bis heute Spuren hinterlassen haben. Der Psychologe, Psychotherapeut und Chefarzt einer psychotherapeutischen Klinik in Halle, Hans-Joachim Maaz, hat in Aufsehen erregenden Publikationen diese Zusammenhänge erforscht. Grundsätzlich geht er davon aus, dass Ich-Störungen bei Erwachsenen meist mit einer gestörten Mutter-Kind-Beziehung in der Kindheit zu erklären sind, eine These, die er in seinem Buch *Der Lilith-Komplex* erläutert. Noch deutlicher wird sie in seinem Psychogramm der DDR, das den Titel *Der Gefühlsstau* trägt. Der Drill und die autoritäre Erziehung in den DDR-Krippen sieht er als Hauptursache für die höhere Gewaltbereitschaft im Osten – allein rechtsradikale Übergriffe geschehen dort dreimal häufiger als in den alten Bundesländern.

»Gewalt beginnt dann«, schreibt er, »wenn Kinder nicht gewollt, nicht akzeptiert, nicht verstanden werden.« Und er folgert: »Wer dabei gekränkt und gedemütigt wird, der will kompensieren.« Das wiederum münde in eine hohe Gewaltbereitschaft: »Wer Angst erzeugen kann, der will die selbst erlittene Angst tilgen.«

Eine besondere Funktion hat für ihn die zu frühe Gruppenerfahrung in Krippen. Daher fordert er: »Wir brauchen eine grundlegende Gesellschaftsreform, die Beziehung höher stellt als Erziehung.« Seine Diagnose ist alarmierend: innere

Mangelzustände, blockierte Gefühle. Und Maaz ist aufgebracht, weil viele seiner ostdeutschen Landsleute nicht wahrhaben wollen, dass »die Krippen Kinder schwer traumatisieren können«.

Hochinteressant scheint mir in diesem Zusammenhang der Hinweis auf die Gruppenbetreuung zu sein. Anders als der Zeitgeist es gern möchte, bringt nämlich eine zu frühe und gewaltsame Anpassung des Kindes an die Gruppe nicht etwa selbstbewusste, sozial kompetente Menschen hervor, sondern zwiespältige Persönlichkeiten. So waren die Proteste groß, als der Kriminologe Dr. Christian Pfeiffer, Direktor des Kriminologischen Forschungsinstituts Niedersachsen, ein Tabu brach und eindeutige Worte für die Missstände der Kinderbetreuung in der DDR fand. Er machte deren Erziehungsmethoden unmittelbar für Ausländerhass und Rechtsradikalismus verantwortlich. So argumentierte er mit folgender Beobachtung: »Menschen, die in ihrer Kindheit massiv davon geprägt wurden, waren in der Gruppe stark, als einzelne Personen aber schwach.« Die Folge: »Wenn denen dann später Fremdes gegenübertritt, dann fühlen sie sich unsicherer als jemand, der souverän und selbstbewusst aufwachsen konnte.«

Trotz dieser klaren Worte hat sich wenig geändert. Im Gegenteil. Je nach Prägung und empfundenen oder tatsächlich bestehenden existenziellen Zwängen der Eltern beginnt die Krippenzeit der Kinder im Osten unseres Landes noch immer relativ früh, im Alter zwischen sechs, acht Wochen und zwei Jahren, wobei sich eine Tendenz zum frühestmöglichen Zeitpunkt zeigt. Und auch bei uns setzt sich die Politik nachhaltig für die Herabsetzung des Betreuungsalters bis unmittelbar nach der Geburt ein. Es ist traurig, wie wenig das Augenmerk auf die Gefahren gelegt wird, die uns aus diesen »politischen Empfehlungen« erwachsen werden.

Ulrike, Stillberaterin aus Sachsen-Anhalt, die seit vielen Jahren Familien mit Neugeborenen und Kleinkindern betreut, sagt: »Es ist selbstverständlich für die Eltern, die Verantwortung für die Kinder unmittelbar nach der Geburt abzugeben. Ist das Baby gerade auf der Welt, kümmert man sich um einen Krippenplatz, von denen wir hier im Osten ja noch genügend haben. Wir sind selber in frühester Kindheit fremdbetreut worden, und ohne das geringste Bewusstsein für die dramatischen Auswirkungen folgen die meisten Mütter und Väter heute unhinterfragt ihrer eigenen Prägung. Das Motto lautet wie selbstverständlich: ›Wir mussten da auch durch!‹«

Sie schildert das Beispiel einer Mutter von drei Kindern, die wegen ihres neugeborenen Kindes einige Monate nicht arbeitete und das Kleine regelmäßig stillte, weil sie die gesundheitlichen und die psychischen Vorteile für ihr Baby nutzen wollte. Von ihren Kolleginnen wurde sie beschimpft als »olles Wessiweib, das mit kapitalistischen Methoden ihre Kinder aufziehen und sich der gesellschaftlichen Verantwortung am Arbeitsplatz entziehen« wolle.

»Dieses Verhalten ist an der Tagesordnung«, so Ulrike. »Es sind übliche Reaktionen auf Mütter, die das Beste für ihr Kind wollen. Das Wissen um die Wichtigkeit einer intensiven und liebevollen Betreuung für die Kleinsten hat sich noch nicht überall herumgesprochen. Wie sollte das auch, die Menschen hier haben selbst kaum etwas anderes als den frühesten Zugriff durch Fremde erfahren.«

Der Kinderarzt Dr. Walter Hoffmann (Name geändert) aus Thüringen geht noch weiter: »Wir leben hier wie auf einem anderen Stern. Empathie und Einfühlungsvermögen sind Fremdwörter, die von den meisten Menschen gar nicht verstanden werden. Sie haben in ihrer Gefühlswelt keine Voraussetzungen für diese Fähigkeiten. Unsere Gesellschaft ist gekennzeichnet von emotionaler Kälte, Gleichgültigkeit und Desinteresse am Nächsten.«

Dass sich daran in absehbarer Zeit etwas ändern könnte, ist unwahrscheinlich. »Es ist die Prägung eines ganzen Volkes durch mangelnde Liebe und Zuwendung in der Kindheit«, beschreibt es der Psychiater Hans-Joachim Maaz. So verwundert es auch nicht, dass Anfang 2004 im Bundesland Sachsen-Anhalt ein Volksentscheid stattfand, bei dem es um den gesetzlichen Anspruch für die Halbtagsbetreuung von Kindern Arbeitsloser ging.

Dazu Dr. Walter Hoffmann: »Man fasst sich an den Kopf. Menschen, die ohnehin zu Hause sind, wollen ihr Kind loswerden und sich auch noch gesetzlich absichern. Und das ist an der Tagesordnung, niemand hinterfragt es. Krippen und Kindergärten werden als Bildungs- und Förderungsangebot für die Kleinen glorifiziert, was nach den derzeitigen Verhältnissen blanker Hohn ist. Doch frage ich mich manchmal, ob es diese unerwünschten Kinder nicht vielleicht sogar besser haben, wenn sie einige Stunden von zu Hause fortkommen.«

Dazu Kerstin G., die am Anfang des Kapitels über ihre Krippenerfahrungen schrieb: »Selbst wenn sich in den Einrichtungen im Laufe der Zeit einiges zum Guten verändert hat, die Erzieherinnen besser ausgebildet, die Kindergruppen etwas kleiner geworden sind und es auch schon Eingewöhnungszeiten gibt, bleibt die Abwesenheit der Mutter als Belastungsmoment des Kindes existent. Ferner entstehen seelische Defizite an Mutterliebe und Nähe. Ich bin überzeugt davon, dass viele ehemalige Krippenkinder das tief in sich tragen, ohne sich bewusst erinnern zu können. In meinem Umfeld begegnen mir oft Menschen, die sehr häufig das Gefühl haben, nichts wert zu sein, ich erlebe Depressivität, Beziehungsunfähigkeit und Aggressivität bei Jugendlichen und Erwachsenen sowie in erschreckendem Maße Verhaltensauffälligkeiten bei den Schülern. In meiner inzwischen zehnjährigen ehrenamtlichen Tätigkeit als Stillberaterin beobachte ich bei jungen Müttern des Öfteren eine verminderte emotionale und nervliche Belastbarkeit sowie auch das Fehlen und das ›Abgeknicktsein‹ ihrer ›Antenne‹, was die Grundbedürfnisse ihrer Kinder angeht.« Daraus folgert Kerstin G.: »Alles in allem sind wir Menschen in der ehemaligen DDR zutiefst gestört.«

Karl Heinz Brisch sieht immense Risiken auf unsere Gesellschaft zukommen. »Diese Missstände betreffen nicht nur die neuen Länder, sondern das gesamte Land. Die teilweise mangelnde Qualität der Krippenbetreuung durch zu wenige und für die emotionale Beziehungsarbeit nicht ausreichend ausgebildete Erzieherinnen ist weit verbreitet. Ohne gesetzliche Bestimmungen für kleine Gruppen in Krippen mit einem guten Betreuungsschlüssel von einer Erzieherin, die nur zwei bis drei Säuglinge betreuen muss, könnten wir im Chaos landen. Wenn wir die frühen Bedingungen für die Bindungsentwicklung unserer Kinder nicht so schnell wie möglich entscheidend verbessern, könnten innerhalb der nächsten ein, zwei Generationen große gesellschaftliche Probleme auf uns zukommen.«

Merkwürdig, dass die Warnrufe von verzweifelten Fachleuten unsere Politiker bis heute nicht zu erreichen scheinen. Munter wird eine Diskussion nach der anderen für mehr und längere außerhäusliche Kinderbetreuung entfacht, mit dem Ziel, das gesamte Land mit Ganztagesbetreuungen zu überziehen. Das Familienministerium der vorangegangenen SPD-Regierung brachte den Stein 2005 ins Rollen. Das damit verbundene Argument: »Damit unser Land wieder mehr Kinder bekommt, müssen Einrichtungen geschaffen werden, in welche man die Kinder so früh wie möglich bringen kann.«

Dass man auf diese Weise trotz der Einwände von Kinderpsychologen an den Bedürfnissen der Kinder vorbeiplant, wird nicht nur geduldet, sondern ist auch noch politisch korrekt. Die zuständige Ministerin machte sich seinerzeit gegen den Willen der Opposition stark für Kindergartenplätze schon ab der Geburt. Möglicherweise beflügelten sie die Beispiele aus der ehemaligen DDR oder aus anderen europäischen Ländern, wo es ähnliche Modelle flächendeckend gibt.

»Deutschland soll zu einem der kinderfreundlichsten Länder Europas werden«, hieß es. Bei einer solchen Aussage scheint es fraglich, ob die derzeit herrschenden gesellschaftlichen Probleme in den neuen Ländern jemals in die Überlegungen einbezogen wurden.

Es ist jedenfalls kaum anzunehmen, dass man sich zu diesem Thema einen Eindruck vor Ort verschafft oder Ratschläge von Kinderärzten und Kinderpsychologen eingeholt hat. Sonst wäre man mit dieser Formulierung sicherlich vorsichtiger gewesen und hätte wohl mehr Wert auf die Qualität, denn auf Quantität gelegt. Und so setzte die Regierung gegen den Widerstand der Opposition das Tagesbetreuungsausbaugesetz (TAG) durch, mit dem »ein erster wichtiger Schritt zu mehr Chancengleichheit und Betreuungssicherheit für Familien getan sein sollte«.

Das Gesetz verpflichtet die Kommunen, bis 2010 die Zahl der derzeit 60 000 Betreuungsplätze um 230 000 zu erweitern. Am 12. Juli 2006 wurde der Bericht der Bundesregierung zum Stand des Ausbaus für ein »bedarfsgerechtes Angebot an Kindertagesbetreuung für Kinder *unter* drei Jahren« veröffentlicht. Und die CDU-Bundesfamilienministerin berichtete dem Kabinett, dass der Ausbau der Kindertagesbetreuung in Deutschland voranschreite. Das Ziel, rund 230 000 neue Plätze zu schaffen, scheine erreichbar: »Es tut sich endlich etwas beim Ausbau der Kinderbetreuung«, so der Tenor des Ministeriums. Immerhin habe heute im Bundesdurchschnitt fast jedes siebte Kind unter drei Jahren einen Platz, 2002 habe das nur für jedes zehnte Kind zugetroffen. Die Bundesministerin: »Es geht deutlich voran, aber die Zahlen zeigen uns auch, dass wir noch einen langen Weg vor uns haben, den wir zügig zurücklegen müssen.«

Weiter erklärte sie: »Mit dem Tagesbetreuungsausbaugesetz (TAG) wurden die Voraussetzungen geebnet, um den guten Ausbaustand im Osten zu erhalten und im Westen den Ausbau der Betreuungsplätze massiv voranzutreiben.« Die aktive Nachfrage der Kommunen nach Tagesmüttern, so der Bericht weiter, steige stetig an. 81 Prozent der Kommunen sähen bei Tagesmüttern einen guten Ansatz zum Ausbau der Betreuungsangebote.

Es ist verheerend, was sich da anbahnt. Tagesmütter müssen keine pädagogische Ausbildung nachweisen und sind in Wahrheit eher ein Notbehelf der finanzschwachen Kommunen. Denn diese müssen die vorgegebenen Standards erfüllen, obwohl sie kaum bezahlbar sind und für neue öffentlichen Einrichtungen das Geld fehlt. Der einzige Ausweg sind daher Tagesmütter, denn sie sind erheblich billiger als Kindergärten. Doch Tagesmütter sind derzeit weder kontrollierbar noch in einer rechtlich klar definierten Situation. Es gibt keine Höchstzahl von Kindern, die sie betreuen dürfen, und die Einflüsse des privaten Umfelds sind nur ansatzweise von den Jugendämtern und den Eltern der betreuten Kinder wirklich einzuschätzen.

Natürlich gibt es ausgesprochen liebevolle und zuverlässige Tagesmütter, deren Tätigkeit Anerkennung verdient. Doch ist es ein Irrsinn, wenn die Politik bei der Förderung unseres wichtigsten Gesellschaftsgutes und des Liebsten, was wir haben, auf derartig unsichere Systeme baut und uns dies auch noch als politische Errungenschaft und Entwicklung präsentiert.

Es nützt nichts, sich an dieser Stelle den Kopf darüber zu zerbrechen, wie der Kinderbetreuungsplan der Regierung finanziert werden soll, weil es ohnehin niemand weiß. Viel wichtiger erscheint mir eine ganz andere Frage, die in Politik, Wirtschaft und Gesellschaft überhaupt nicht diskutiert wird: Können unsere Kinder und kann unsere Gemeinschaft diese hochambitionierten Pläne überhaupt verkraften?

Auf jeden Fall, meint die Politik. Die Familienministerin betrachtet den Kindergarten inzwischen »zu Recht« als ersten Teil der Bildungskette. Möglichst frühe und möglichst lange

Kinderbetreuung sei die Basis für Chancengleichheit bei der Bildungskarriere – und das sah ihre Vorgängerin ähnlich. »Die Kleinsten sind die Größten in ihrer Neugier und Wissbegierde. Sie brauchen dringend die besten Angebote von Anfang an, ergänzend zur Familie«, so die ehemalige SPD-Ministerin. Und schon jubelten die Medien: »Aus Spielkindergärten werden Bildungseinrichtungen für unsere Kleinsten.«

Die Katastrophe ist vorprogrammiert, sagen Kinderpsychologen und Bindungsforscher. Dass dieser Bildungsanspruch, abgesehen von allen bereits aufgeführten Gefahren, fragwürdig bleibt, wird unter anderem dadurch deutlich, dass beispielsweise der Spracherwerb des Kindes nicht durch Anreize von außen, sondern wesentlich über die Mimik der eigenen Mutter gesteuert wird. Die intensive Zwiesprache von Angesicht zu Angesicht lässt ein Kind nicht nur Laute lernen, sondern auch komplexe Bedeutungen und emotionale Färbungen.

Der ehemalige Bundesverfassungsrichter Professor Paul Kirchhof dazu: »Kinder sollten länger von ihrer Mutter gestillt werden. Bei dieser natürlichen Ernährung schaut es mehr als fünfmal täglich etwa eine halbe Stunde lang in das Gesicht seiner Mutter. Die Gehirnforscher sagen, dass dieses Gesicht das Weltbild der Kleinen ist. Und wenn dieses Weltbild zu früh variiert, wird das Kind in seinem noch unausgebildeten Gehirn überfordert, gerät in eine Stresssituation, die dann seine Entwicklung zur Motorik, zur Sprache und zur sozialen Begegnung erschwert.«

Immer wieder wird festgestellt: Wo Kleinkinder statt der Mutter die Gruppe erleben, bleibt die Sprachfähigkeit auffallend zurück.

Professor Theodor Hellbrügge, Kinderarzt und hoch geachteter Pionier pädagogischer Konzepte, hat in Langzeitstudien die Fähigkeiten von Krippenkindern mit denen derjenigen Kinder verglichen, die bei der Mutter aufwachsen. Die Ergebnisse sind so eindeutig, dass einem der Atem stockt: Was Sprache, soziales Verhalten und selbst die motorische Entwicklung betrifft, waren Kinder, die in den ersten drei Jahren bei der Mutter blieben, ihren Altersgenossen aus den Krippen weit voraus. Auf unzähligen Kongressen und in zahlreichen Fachpublikationen haben Hellbrügge und seine internationalen Kollegen diese Ergebnisse präsentiert – ein Echo aus dem politischen Lager blieb bis heute aus.

Während alles hierzulande dafür getan wird, so viele Kinderbetreuungsplätze wie möglich zu schaffen, werden andererseits – außer dem sehr allgemein formulierten Anspruch auf Bildung – keine Qualitätsrichtlinien vorgegeben. Es existiert kein Gesetz in Deutschland über den Betreuungsschlüssel, welcher regelt, wie viele Kinder höchstens von einer Erziehungsperson versorgt werden dürfen. So ist es durchaus keine Seltenheit, dass für fünfzehn bis fünfundzwanzig Kinder nur zwei Erzieherinnen zur Verfügung stehen. Von einer Förderung des einzelnen Kindes kann da nicht mehr die Rede sein, lediglich von Aufbewahrung.

Während beispielsweise in Skandinavien ein Betreuungsschlüssel von einer Erzieherin für vier Kinder gesetzlich festgelegt ist, ist das reiche Deutschland bei diesem Thema europaweit Schlusslicht. Dr. Jürgen Kluge, Physiker und engagierter Streiter für Bildung und soziale Initiativen, referierte im Oktober 2005 auf dem Berliner McKinsey-Bildungskongress, dass der real existierende Betreuungsschlüssel in deutschen Kindertagesstätten seinen Recherchen zufolge durchschnittlich bei eins zu vierzehn liege.

»Dies kommt einer groben Vernachlässigung gleich, die deprivationsähnliche Begleiterscheinungen für die Kleinen mit sich führen kann«, konstatiert Joachim Bensel. Dabei gibt es wissenschaftliche Empfehlungen und eindeutige, empirisch abgesicherte Ergebnisse zur Sicherstellung einer pädagogisch hochwertigen Arbeit. Diese Voraussetzungen umzusetzen, so Bensel, liege in unserer gesellschaftlichen Verantwortung. Bei Kindern unter drei Jahren empfiehlt sein Institut eine Betreuerin für maximal drei Kinder.

»Man kann sich vorstellen, wie viel eine Frau zu tun hat, die sich über mehrere Stunden um drei Säuglinge kümmert, die allesamt gewickelt, geschaukelt, gefüttert und emotional wie kognitiv gefördert werden wollen und müssen. Mehr geht auf keinen Fall, besser wären nur zwei Kinder, denn auch eine quasi Zwillingsbetreuung ist für jede Mutter schon eine sehr große Herausforderung«, so Karl Heinz Brisch. Auch er sieht schwierigste Verhältnisse auf unser Land zukommen: »Wenn wir es nicht schaffen, den Betreuungsschlüssel an Kindergärten, Kitas und Horten, aber auch bei Tagesmüttern und jeglichen Betreuungseinrichtungen kindgerecht in ganz Deutschland per Gesetz einzuführen, könnte unsere Gesellschaft unter der Bindungslosigkeit der Menschen in absehbarer Zeit erheblich leiden.«

Erste Anzeichen dafür gibt es. Vor einiger Zeit sprach ich mit Professor Dr. Peter Riedesser, Leiter der Kinder- und Jugendpsychiatrie und Psychotherapie an der Universitätsklinik Hamburg-Eppendorf. Er berichtete, dass er und auch viele seiner Kollegen einen überdimensionalen Anstieg von psychisch kranken Kindern feststellten, deren Krankheitsursachen in einem dramatischen Verfall des sozialen Miteinanders begründet liegen.

»Es ist erschreckend, wie schwach und unterentwickelt das Selbstbewusstsein vieler Kinder und Jugendlicher ist, die verwahrlost und emotional völlig vernachlässigt sind«, sagte Riedesser. »Und dies betrifft nicht etwa allein die sozial schwachen Familien, sondern dieses Horrorgespenst zieht sich durch alle Schichten. Kinder bleiben zu häufig sich selbst überlassen, nicht nur zu Hause, weil die Eltern arbeiten gehen. Schon im Kindergarten und früher fehlt ihnen jegliche intensive Ansprache und kindgerechte Förderung, von Zuwendung und Liebe gar nicht zu sprechen.«

Die Landesjugendämter sprechen lediglich Empfehlungen für die Betreuungsschlüssel aus, und es liegt im Ermessen der Kindereinrichtungen, ob sie umgesetzt werden. Kontrolliert wird schon gar nicht. In Baden-Württemberg zum Beispiel existiert die Empfehlung, dass sich eine Erzieherin um maximal fünf Kinder kümmern soll, während in Thüringen überhaupt keine Richtlinien formuliert wurden. Hier verfährt jeder Kindergarten nach eigenem Ermessen, was die eklatanten Missstände in den Einrichtungen dieses Bundeslandes dramatisch beleuchtet. Der Entwicklungsforscher Joachim Bensel bezeichnet es als grobe Fahrlässigkeit, dass in solchen Fällen nicht eingegriffen wird und dass in der von der Bundesregierung ausgelösten Diskussion zwar die Begriffe »Betreuung« und »Erziehung« durch den Begriff »Bildung« erweitert wurden, doch nichts dafür getan wird, dass dieser nur bei wesentlich besseren Personalschlüsseln umsetzbare Anspruch in die Tat umgesetzt werden kann.

Noch einmal: Es handelt sich bei den Anleitungen der jeweiligen Landesjugendämter nur um Empfehlungen und nicht etwa um einzuhaltende Regelungen. Und die wenigen Richtlinien werden zurzeit von der Politik systematisch aufgeweicht, indem die Entscheidung den Landesjugendämtern entzogen und, wie sich mit dem beschlossenen Tagesbetreuungsausbaugesetz gezeigt hat, an Land oder Kommunen delegiert wird. Denen aber fehlen Geld und pädagogisches Wissen für eine Qualitätssicherung. Joachim Bensel charakterisiert diese Bestrebungen als bodenlose Ignoranz und als große Gefahr für unsere Kinder.

Jürgen Kluge machte auf dem erwähnten Bildungskongress einen bemerkenswerten Vorschlag: Er forderte ein unabhängiges Qualitätssiegel für besonders gut geführte Kindertagesstätten, um den Eltern überhaupt eine Orientierung geben zu können. Warum ist eigentlich noch kein Politiker darauf gekommen? Warum haben wir einen TÜV für Autos und eine Fülle von Vorschriften, wenn es sich um Produkte »Made in Germany« handelt, verzichten aber ausgerechnet dann auf Qualitätsrichtlinien, wenn es um etwas so Kostbares wie Kinder geht?

Aber Kinder haben keine Lobby, und dass die Qualität der Betreuung durch das Erziehungspersonal nachhaltig über das Selbstbewusstsein unserer Kinder entscheidet, ist für Politiker, die sich mit Erfolgszahlen profilieren wollen, offenbar unwichtig.

Wer Bindung mit Bildung verwechselt, der verkennt, dass elementare Lernprozesse für ein soziales, liebevolles Miteinander nicht durch das ABC für Dreijährige oder eine frühmusikalische Erziehung im Krabbelalter zu haben sind. So verlockend auch die Vision sein mag, eine Generation frühzeitig gebildeter Kinder heranzuziehen, so fahrlässig und ungenügend sind die Methoden, die diese Vorstellung Wirklichkeit werden lassen sollen.

Das Argument vieler Eltern und auch der Politik, Kinder bräuchten andere Kinder für eine sozial kompetente Entwicklung, können Kinderpsychologen kaum noch hören. Sie sehen eine solche These nicht selten als ein Resultat von Ahnungslosigkeit an oder halten sie für eine reine Schutzbehauptung, mit der sich Mütter rechtfertigen, die wieder arbeiten oder ganz schlicht ihre Kinder loswerden wollen – weil es kaum gesellschaftliche Anerkennung bringt, »nur« Mutter zu sein.

Ute ist eine Bekannte, die ich vor einigen Jahren auf dem Spielplatz kennen lernte. Sie fiel mir auf, weil sie ausgesprochen liebevoll und entspannt mit ihrem Kind umging, das etwa zweieinhalb Jahre alt war, als wir uns zum ersten Mal trafen. Wir kamen ins Gespräch, und nach den üblichen Erkundigungen und Tipps fragte sie mich, ob mein Kind schon in einer Krabbelgruppe sei. Als ich das verneinte, atmete sie sichtlich auf. Dann erzählte sie, dass ihre Erfahrungen mit Krabbelgruppen dazu geführt hatten, ihr Kind wieder zu Hause bei sich zu haben.

»Mein Sohn war eindreiviertel, als ich ihn zum ersten Mal abgab«, berichtete sie. »Und das, obwohl ich nicht arbeite. Aber alle hatten mir gesagt, es sei gut, ein Einzelkind so früh wie möglich an die Gruppe zu gewöhnen. Man warf mir sogar Egoismus vor, weil ich so skeptisch war. Also suchte ich nach einer geeigneten Einrichtung.«

Ute landete bei einer Elterninitiative. Alles sah nett und gepflegt aus, sie wurde mit offenen Armen empfangen, und man versicherte ihr, dass sie das einzig Richtige tue. Die Eingewöhnungsphase aber dauerte auffällig lange. Der Junge schrie und weinte, wenn sie ihn zu der Einrichtung brachte, und wenn sie ihn abholte, brach er wieder in Tränen aus. »Alles kein Problem«, wurde sie getröstet, »der Kleine fühlt sich wohl.«

Doch Ute wollte sich mit dieser Auskunft nicht abfinden. Deshalb stand sie eines Mittags unangemeldet vor der Tür. Schon von weitem hörte man Schreien und Weinen. Drinnen entdeckte sie ihr Kind isoliert in einer Ecke, während die anderen Kinder es mit Bauklötzen bewarfen. Von den Erzieherinnen keine Spur. Ute fand sie auf der Terrasse bei einer Tasse Kaffee. Zur Rede gestellt, gab es einzig die Antwort, dass ein Kind es selber schaffen müsse, sich zu integrieren. »Kleine Prinzen können wir hier nicht gebrauchen«, war die lapidare Auskunft.

Ute war schockiert – und kündigte sofort ihren Vertrag, trotz aller Warnungen der Erzieherinnen, die ihrem Kind eine düstere Zukunft prophezeiten. »Der wird es immer schwer haben, sich in der Gruppe zurechtzufinden!« Da fehlte nur noch der Satz: »Früh krümmt sich, was ein Häkchen werden will.« Was Ute nicht wusste: Mit ihrer Intuition lag sie völlig richtig. Anders als der Zeitgeist es nahe legt, sind frühe Gruppenerfahrungen in Betreuungseinrichtungen gar nicht nötig, um die soziale Kompetenz der Kinder zu fördern. »Selbst wenn sich in der ersten Zeit eine schnellere Anpassung an andere Kinder daraus ergibt, ist dies doch allein ein flüchtiger Erfolg. Bis zum Ende der Kindergartenzeit ist diese Kompetenz auch von später ›eingestiegenen‹ Kindern längst wieder aufgeholt«, sagt Joachim Bensel.

Wie wenig die Politik sich für solche Fragen interessiert, zeigt schon der sorglose Umgang mit der Qualifizierung der Erzieher und Erzieherinnen. Die Ausbildung der Betreuer für unsere Kleinsten entspricht häufig nicht einem wünschenswerten Qualitätsstandard, und gesetzliche Bestimmungen und Vorgaben, wie sie in anderen Ländern selbstverständlich sind, liegen in weiter Ferne. So ist es durchaus möglich, dass, wie Bensel es formuliert, »rudimentär ausgebildetes Personal im Elementarbereich« auf unsere Kleinsten losgelassen werden. »Teilweise ohne Konzept gehen Arbeitskräfte vor«, so Joachim Bensel.

Wer will, kann es auch amtlich haben: Die europäische Organisation für wirtschaftliche Zusammenarbeit und Entwicklung in Paris erteilte der deutschen Erzieherausbildung in ihrer Kindergartenstudie von 2004 die Note »unzureichend«. Warum rüttelt das niemanden auf? Warum nehmen wir das hin? Und warum gibt es solch skandalöse Initiativen wie das »Bremer Modell«, bei dem Arbeitslose und Sozialhilfeempfänger ohne geringste Schulung auf Kindergartenkinder losgelassen werden – um die Erwachsenen wieder in den Arbeitsprozess einzugliedern, auf Kosten der Kinder?

Neue und anspruchsvolle Fantasiepläne für Hochschulausbildungen des Erziehungspersonals, die derzeit angedacht werden, wären zwar endlich ein erster Schritt in die richtige Richtung. Sie würden jedoch einen völligen Umbau des Betreuungssystems erfordern und sind schon aus finanziellen Gründen in den nächsten Jahren nicht realisierbar.

Betreuungseinrichtungen, in denen großer Wert auf ein stimmiges Umfeld für die Kleinsten gelegt wird, müssen mit aller Kraft unterstützt werden, besonders wenn hier Kinder aus überlasteten Familien eine verlässlich heimelige, fördernde und liebevolle Umgebung geboten werden soll. Aber auch für Kleinstkinder aus »normalen« Familien gibt es in Halbtagseinrichtungen mit sehr guter Qualität viele Möglichkeiten, die sich manchmal nur schwer zu Hause verwirklichen lassen.

Denn es ist unbestritten, dass für Kinder *über* drei Jahre, die heute häufig leider Einzelkinder sind, die soziale Entwicklung besser verläuft, wenn sie einige Stunden am Tag mit Gleichaltrigen spielen und Rücksicht nehmen lernen. Die Kleinsten jedoch leiden und nehmen Schaden an Leib und Seele, wenn sie einer nachlässigen Betreuung ausgesetzt werden. Sie zu schützen, muss uns selbstverständlich und oberstes Gebot sein.

Das Problem in Deutschland ist und bleibt: Sehr gute Krippen gibt es zu wenige, und hierfür müssten der Staat und die Gesellschaft zahlen, um ihrer Verantwortung gegenüber der nächsten Generation gerecht zu werden.

Das groteskeste Beispiel, das zurzeit viel diskutiert und zum Teil bereits in die Praxis umgesetzt wurde, ist die so genannte »flexible Kinderbetreuung«. Hierbei handelt es sich um die Freiheit der Eltern, ihr Kind zu jeder Tageszeit in der Krippe abgeben und auch wieder abholen zu können – wann immer sie es möchten und wie es in ihren Tagesablauf passt. Das ist ein täglich wiederkehrender Willkürakt, der für ein Kind kaum zu verarbeiten ist. Die Eingewöhnungszeiten sind in diesen Fällen katastrophal, ziehen sich manchmal über Monate hin. Es fehlen Kontinuität, Zuverlässigkeit und Stabilität. Wünschenswert wäre es, wenn nicht nur die Bedürfnisse der Unternehmen und Eltern beachtet würden, sondern ein viel höheres Maß an Sorgfaltspflicht unseren Kindern, den kleinsten, schwächsten und schutzlosesten Mitgliedern der Gesellschaft, zugute käme. Sie sind ausschließlich auf uns, unser Verständnis und unsere Liebe angewiesen. Wir Mütter dürfen sie ihnen nicht verweigern.

»Ich liege zu Hause in meinem weißen Kinderbett«, erinnert sich Kerstin G. »Ich bin krank. Hohes Fieber, schmerzende Glieder und starker Husten quälen mich. Mir tut alles weh. Aber ich bin unendlich glücklich! Denn ich bin krank und kann nicht gehen. Nirgends hin! Vor allem nicht in die Krippe! Die Mutti ist da! Sie bringt Tee, macht Wadenwickel und streichelt mich. Alles ist gut!«

4
Die bindungslose Gesellschaft – warum wir unseren Halt verlieren

Die Frage nach dem Grund, warum wir durch die frühzeitige Fremdbetreuung eine liebevolle Bindung an unsere Kinder aufs Spiel setzen, hat mich seit langem beschäftigt. Müssten unsere Babys und Kleinkinder nicht den tief verwurzelten, natürlichen Impuls in uns aktivieren, sie nahe bei uns haben zu wollen und ihnen Schutz und bedingungslose Liebe zu geben? Das Bedürfnis der Mutter nach Nähe zu ihrem Kind ist, wie beschrieben, eine Konstante des menschlichen Verhaltens.

Und doch wird die Trennung von Mutter und Kind als eine selbstverständliche Handlungsmöglichkeit gesehen. Vielfach wird es als Sentimentalität abgetan, wenn eine Mutter Bedenken äußert, schon Kleinstkinder einer Gruppe anzuvertrauen, in der sie nicht die Intensität von Nähe erfahren, die in der Mutter-Kind-Beziehung möglich ist.

Auf der Suche nach den Ursachen dafür, dass sich Mütter freiwillig von ihren Kindern lösen, stoßen wir auf interessante Untersuchungen, die sich mit der Geschichte des Familienlebens beschäftigten. Die Anfänge der frühzeitigen Ablösung sind zunächst im 18. Jahrhundert zu suchen. So war es im Adel und bei den gebildeten Ständen üblich, die Kinder von Ammen betreuen zu lassen. Erst durch einen veränderten Zeitgeist, ausgelöst unter anderem durch die Schriften des viel diskutierten französischen Philosophen Jean-Jacques Rousseau, kündigte sich eine Änderung an: Rousseau hatte in seinem Roman *Émile* (1762 erschienen) das Ideal einer Erziehung thematisiert, welche die Kinder nicht durch »zivilisatorische Einflüsse« verdirbt. Daraufhin entschlossen sich die gesellschaftlich höher stehenden Frauen, ihre Kinder wieder selbst zu stillen. Um jedoch ihre üblichen Verpflichtungen nicht zu vernachlässigen, erstellten sie einen Stillplan mit festen Mahlzeiten und geregelten Stillzeiten – eine gewaltsame Disziplinierung individueller kindlicher Bedürfnisse, die den Kindern bis zum heutigen Tage viel Elend beschert.

Das aufstrebende Bürgertum übernahm diese neue Gewohnheit. Der energische Erziehungsstil war Ausdruck und damit auch Symbol politischer, kultureller und wirtschaftlicher Veränderung: Kinder hatten sich vom ersten Tag an in die erwachsene Welt der Pflichten einzuordnen, sie hatten so »pflegeleicht« wie möglich zu sein.

Nach und nach gaben auch Arbeiterinnen ihre Kinder weg, oft zur Nachbarin, wo sie vielfach mit Mehlbrei und Wasser »zu Tode« ernährt wurden. Die Findelhäuser quollen über, es fehlte nicht nur die Mutterbrust, sondern auch die liebevolle Zuwendung. Die industrielle Revolution benötigte immer mehr Arbeitskräfte, für das Stillen blieb keine Zeit. 1866 gab es das erste Nestlé-Babynahrungsprodukt, und damit schienen alle Probleme endgültig gelöst.

Schon lange vorher war es unüblich geworden, dass Eltern und Kleinstkinder gemeinsam in einem Bett schliefen. Bereits im Mittelalter setzte sich die körperliche Distanz der Eltern zum Säugling durch. Damals predigte die Kirche, dass die Kinder wegen der hohen Sterberate durch Erstickung und Erdrücken nicht im Elternbett schlafen sollten. Das war zwar eine Behauptung, die nicht zutraf, sondern Ausdruck kirchlicher Körperfeindlichkeit, Inzestbefürchtungen eingeschlossen. Doch sie konnte sich bis zum heutigen Tag beharrlich halten.

Das so genannte Co-Sleeping, also das gemeinsame Schlafen von Eltern und Kind, ist alles andere als gefährlich für das Baby, das Gegenteil ist der Fall. Durch Studienversuche mit Nacht- und Wärmekameras wurde belegt: Mütter merken im Schlaf instinktiv, wenn mit ihren Kindern etwas nicht stimmt, wenn es zum Beispiel zu warm wird oder die Gefahr eines plötzlichen Kindstodes entsteht. Ohne es selbst zu bemerken, stupsen Mütter in solchen Situationen unbewusst die Kleinen an, was die Luftzirkulation sofort verändert.

Die einzige Ausnahme, in der zum gemeinsamen Nachtschlaf abgeraten wird, ist dann gegeben, wenn Eltern Nikotin, Drogen oder Alkohol zu sich genommen haben. In allen anderen Fällen gilt, dass das gemeinsame Schlafen einen besonders effektiven Schutz für das Baby bedeutet. Nicht zufällig ist in Kulturen, in denen Kind und Eltern heute noch zusammen in einem Bett schlafen, die Rate des plötzlichen Kindstodes viel niedriger als bei uns.

Dennoch wird im Rhythmus von zwei, drei Jahren regelmäßig die Behauptung aufgestellt, es sei gefährlich, wenn kleine Kinder im Bett der Eltern schliefen. Nach einigen Recherchen entdeckte ich einen der Urheber einer solchen Warnung: Es handelte sich um einen aufstrebenden Möbelhersteller, der anscheinend seinen Erfolg im Verkauf von Kinderbetten sah. Man könnte schmunzeln darüber, wären die Folgen nicht so fatal.

Wenn wir die Geschichte des familiären Zusammenlebens betrachten, fällt also auf, dass die räumliche und damit auch emotionale Distanz zwischen Eltern und Kindern immer stärker wurde. Selbst Mediziner fielen in den Tenor ein, als Louis Pasteur auf die Ansteckungsgefahr durch Mikroben hinwies. Ein eigenes Kinderzimmer wurde fortan als wichtige Voraussetzung für die Gesundheit des Säuglings angesehen.

So gibt es bis zum Anfang des 20. Jahrhunderts zahlreiche Einzelentwicklungen, die Kinder immer weiter von ihren Eltern entfernten.

Was viele nicht wissen: Unsere distanzierte Haltung zu unseren Kindern steht auch in einem direkten Zusammenhang mit einem der dunkelsten Kapitel der deutschen Geschichte, dem Dritten Reich. Die Theoretiker des Nationalsozialismus erkannten früh, dass die Frage der Kindererziehung höchste politische Relevanz hatte. Das beschränkte sich nicht auf die erwünschte Steigerung der Geburtenrate, die sich in der Auszeichnung mit dem »Mutterkreuz-Orden« für Frauen mit vielen Kindern ausdrückte. Es betraf vielmehr die konsequente Einflussnahme auf den vormals privaten, familiären Bereich von Geburt, Mutterschaft und Säuglingspflege. Es ging nicht nur darum, »dem Führer Kinder zu schenken«, sondern die Kinder so früh wie möglich nach den Maßgaben des nationalsozialistischen Menschenbilds zu formen.

Betrachtet man diese ideologischen Grundlagen, wird schnell klar, dass der Hitler-Staat alles daransetzte, jeden gesellschaftlichen Bereich zu kontrollieren und jede private Nische zu vernichten, in der sich individuelle Lebensformen entwickeln konnten. Verwirklichen ließ sich das nur, indem die Gruppe, das Kollektiv, die »Volksgemeinschaft« über den einzelnen Menschen gestellt wurde, eine Ideologie, die wir auch im DDR-Sozialismus immer wieder beobachten konnten. Damit wurden Kinder zum Politikum. Um ihre Erziehung zu nationalsozialistischen Bürgern zu gewährleisten, sollten sie der elterlichern Fürsorge so früh wie möglich entzogen werden. Es gab nur ein Problem: die emotionale Bindung der Eltern an ihre Kinder. So lag es nahe, diese konsequent in Frage zu stellen und zu zerstören. Das begann damit, dass im Nazi-Staat die bereits zu Anfang des 20. Jahrhunderts erprobten und routinemäßig eingesetzten schmerzstillenden Medikamente während der Geburt nicht mehr verwendet werden durften. Der Geburtsschmerz sei eine Tapferkeitsprobe, so die neue Lehrmeinung. Die Gebärende wurde zur Soldatin auf dem Schlachtfeld stilisiert, und so kommentierte denn auch der nationalsozialistische Gynäkologe Walter Stoeckel die acht Schwangerschaften seiner Frau: »Sieben Geburten und eine Fehlgeburt sind sieben Gesundheitsschlachten und eine Manöveranstrengung.«

Die Forderung, Frauen müssten den Geburtsschmerz aushalten, hatte aber auch noch einen anderen Hintergrund: Auf diese Weise wurde die Mutter-Kind-Beziehung von vornherein negativ geprägt. Heute weiß man, dass eine massive Ablehnung des Neugeborenen durch den erlittenen Schmerz während einer Geburt möglich ist, bis hin zu Vernachlässigung und Misshandlung. Das wurde bewusst in Kauf genommen, um »übertriebene Muttergefühle« von Beginn an zu unterbinden. Um das zu unterstützen, wurde eine vierundzwanzigstündige Trennung von Mutter und Kind nach der

Geburt propagiert, der natürliche Impuls nach Nähe zwangsweise unterdrückt.

Die dramatischen Folgen dieser Trennung sind heute hinreichend erforscht, doch auch schon in den zwanziger Jahren hatten Mediziner Erkenntnisse darüber gewonnen, die nun bewusst in Kauf genommen, sogar begrüßt wurden. Eine emotionale Bindung der Mutter an ihr Kind, das so genannte Bonding, wird besonders mit der Erfahrung körperlicher Nähe zwischen Mutter und Neugeborenem nach der Geburt gefördert. Frauen, die von ihren Neugeborenen getrennt werden, kann es längere Zeit schwerfallen, einfühlsam auf ihr Kind zu reagieren und eine innige Beziehung zu ihm zu entwickeln.

Den Nationalsozialisten war das nur recht. Stand schon das Geburtsgeschehen unter der Leitidee, allzu große Gefühle gar nicht erst entstehen zu lassen, setzte man dieses Denken mit den Vorgaben zur Säuglingspflege fort. In *Die deutsche Mutter und ihr erstes Kind* legte Johanna Haarer, überzeugte Nationalsozialistin und Autorin von mehreren Erziehungsbüchern, eine umfassende Anleitung vor, wie Mütter mit ihren Kindern umgehen sollten. Das schaurige Werk der Münchner Ärztin mit ihren entsetzlichen Empfehlungen erschien erstmals 1934 und wurde bis zum Ende des Krieges mehr als eine halbe Million Mal verkauft. 1936 kam *Unsere kleinen Kinder* auf den Markt, ebenfalls ein Bestseller. Es wurde das Grundlagenwerk der »Reichsmütterschulung« und galt als wegweisend.

Zwei Gedanken prägten Johanna Haarers Bücher: die physische Trennung von Mutter und Kind und die emotionale Distanz. Eindringlich warnte sie vor einem »Übermaß an

Liebe« und empfahl, den Säugling einzig zum Stillen in den Arm zu nehmen. Mit anderen Worten: Wenn das Baby schreit, lautete die Devise: »Schreien lassen«. »Liebe Mutter, werde hart«, gab Haarer zu verstehen. »Fange nur ja nicht an, das Kind aus dem Bette herauszunehmen, es zu tragen, zu wiegen, zu fahren oder es auf dem Schoß zu halten.« Das Stillen war allein zu festgelegten Zeiten erlaubt und sollte so rasch und nüchtern wie möglich erfolgen, da es ohnehin jeder Frau »auf die Nerven gehe«. Denn »sonst geht ein endloser Kuhhandel mit den kleinen Plagegeistern los«.

Plagegeister? Die Schriften der Johanna Haarer degradieren Kinder systematisch zu widerspenstigen Störenfrieden, die man besser nicht zu nah an sich heranlässt. »Kleine Nichtsnutze« nennt sie den Nachwuchs, Erziehung ist für sie der Kampf gegen den Willen des Kindes, alle elementaren menschlichen Gefühle werden als »Affenliebe« eingestuft. Zärtlichkeiten waren verpönt, Küsse wurden mit dem Hinweis auf »Tuberkelbazillen« als Gesundheitsrisiko eingestuft. Generell empfiehlt sie »das Unterlassen jeder unnötigen Beschäftigung« mit dem Kind. »Pflege und Wartung« seien diszipliniert durchzuführen – eine Wortwahl, die eher an Autos erinnert als an den Umgang mit Kindern.

Alle kindlichen Bedürfnisse nach Geborgenheit und Nähe werden als Tyrannei bewertet, im Zentrum der Mutter-Kind-Beziehung stand für Haarer das Postulat, das Kind zur »Selbständigkeit« zu erziehen. Was damit wahrhaft gemeint war, ist klar: Es ging darum, bindungslose Kinder heranzuziehen, die sich früh in das nationalsozialistische Erziehungssystem integrieren ließen. Soldatische Tugenden wie Disziplin und Gehorsam wurden den Kindern vom ersten Schrei an abgefordert, das Bereitstellen von Nachwuchs, der sich mühelos in das System eingliedern ließ, war oberstes Gebot. Der NS-Pädagoge K.F. Sturm schwärmte denn auch von jungen Menschen, die die Erfahrung des »deutschgemeinschaftlichen Lebens« machten, und Reichsminister Wilhelm Frick forderte die »gliedhafte Einordnung« ins »Volksganze«: »Der Privatmensch existiert nicht mehr, er ist begraben.«

All das klingt heute erschreckend, die politischen Folgen sind bekannt. Und so ist es kaum zu verstehen, dass Johanna Haarers Werke nach dem Krieg nicht etwa in Vergessenheit gerieten, sondern seit den fünfziger Jahren zahlreiche Neuauflagen erlebten. Rund 1,2 Millionen dieser Bücher sind über den Ladentisch gegangen, die letzte Auflage erschien 1987!

Die Theorien von Haarer prägten somit mehrere Generationen von Müttern, und damit auch noch die Kinder, die in den fünfziger und sechziger Jahren geboren wurden – und heute Mütter werden. Das muss man wissen, wenn man sich fragt, warum Frauen heute offenbar leichten Herzens dazu bereit sind, Kleinstkinder und sogar Babys wegzugeben, um wieder zu arbeiten. Und es macht uns auch klar, dass Bücher wie *Jedes Kind kann schlafen lernen* – hier werden beispielsweise Methoden empfohlen, das Baby minutenlang in seinem Bettchen schreien zu lassen, während Mutter oder Vater mit der Stoppuhr vor der Kinderzimmertür ausharren – sich heutzutage jahrelang auf den Bestsellerlisten finden. Ohne die nationalsozialistische Anleitung von einst, es bedürfe nur der fachgerechten »Pflege und Wartung« von Säuglingen, wäre das nicht möglich.

Die Geringschätzung der Bindung, die Ablehnung der »kleinen Plagegeister« und »Nichtsnutze« mit ihrem Wunsch nach mütterlicher Nähe und Aufmerksamkeit hat also eine unheilvolle Tradition in Deutschland, die sich im System der DDR fast nahtlos fortsetzte. Kinder wurden letztlich als »Sand im Getriebe« gesehen, als Störfaktor im wirtschaftlichen Geschehen, und die frühe Fremdbetreuung hatte überdies den Vorteil, sie von vornherein der privaten Obhut zu entziehen und sie auf die staatliche Ideologie einzustimmen.

Auch wenn heute vordergründig keine Gedanken dieser Art mit der Forderung nach frühester Fremdbetreuung von Kindern verbunden sind, so muss man die Vorrangstellung der Berufstätigkeit vor den emotionalen Bedürfnissen dennoch als ideologische Einflussnahme bezeichnen: Die ökonomischen Anforderungen stehen heute im Verdacht, den Rang einer Weltanschauung und Lebenseinstellung eingenommen zu haben. Wir sollen »opferbereit« sein wie die Mütter im Nationalsozialismus, wir sollen unsere Gefühle unterdrücken, uns von ihnen befreien, um ohne Sehnsüchte und ohne schlechtes Gewissen unserer Erwerbstätigkeit nachzugehen.

Bei der Frage von Babykrippen und Betreuungseinrichtungen gilt daher nicht ohne Grund das Motto: »Je früher, desto besser. Wer sich bindet, ist schwach; wer sich möglichst nüchtern verhält und Bindungen vermeidet, ist am ehesten in der Lage, sein Kind fröhlich lächelnd in fremde Hände zu geben.« In Einrichtungen, wo es versorgt, aber ganz bestimmt nicht auf den Arm genommen und mit Zärtlichkeiten bedacht wird. Johanna Haarer wäre zufrieden.

Der Hang zur Übermutterung

Mangelnde Zuwendung und Liebe in der eigenen Kindheit können sich später im Erwachsenenleben nicht nur durch Bindungslosigkeit und Aggression auswirken. Es gibt noch ein weiteres Phänomen, das in den westlichen Industriestaaten zunehmend zu beobachten ist: Fehlentwicklungen von Kindern, die gekennzeichnet sind durch Herrschsucht, Hyperaktivität und Übernervosität, Brechsucht und Essensverweigerung. Es sind Symptome von Störungen, die den Kindern und ihrem Umfeld das Dasein stark erschweren. Von kindlichen Despoten und Tyrannen ist die Rede, die bereits im Kindergarten den Betreuerinnen das Leben zur Hölle machen und in den Schulen die Geduld, Gesprächsbereitschaft und den Verhandlungswillen der Lehrer oftmals auf den Nullpunkt bringen.

Neben Gründen wie dem hohen Medienkonsum, der die soziale Kommunikation ersetzt, werden auch mangelnde Angebote von Spielmöglichkeiten sowie die fehlende Großfamilie genannt. Noch viel folgenreicher aber ist die Gegenreaktion vieler Mütter auf die selbst erfahrene Lieblosigkeit: die Übermutterung. Die Erscheinung der Übermutterung wirkt auf den ersten Blick wie das genaue Gegenteil des vorher eingehend geschilderten Vernachlässigungsphänomens. In Wahrheit aber gehören diese beiden Verhaltensweisen ursächlich zusammen.

Kinderpsychologen sind sich einig, dass aus einer falsch verstandenen »Wiedergutmachungsmentalität« heraus unbewusst kleine Herrscher herangezogen werden. So kompensieren die Kinder der Nachkriegsgeneration, deren Eltern alle

Kräfte für den Wiederaufbau einsetzten, ein Nachholbedürfnis an Liebe. Sie wurden selbst in der Kindheit tagsüber von Pflegepersonal oder Babysittern betreut und erlebten nachts die Einsamkeit vergeblicher Hilferufe. Denn die allgemeinen Empfehlungen, die unter anderem noch aus dem nationalsozialistischen Härtegebot herrührten, lauteten ja, die Kinder ruhig schreien zu lassen und sie nicht von Geburt an zu verwöhnen.

Auch unsere Großmütter und Großväter erzogen unsere Eltern nicht selten nach strengsten Richtlinien. Sie akzeptierten die fragwürdigen Erziehungsmethoden, die selbst uns und unseren Kindern leider noch sehr geläufig sind und von vielen immer noch als allgemeingültig betrachtet werden. Sätze wie die folgenden rufen bei vielen Menschen nur ein Achselzucken hervor, obwohl sie in Wirklichkeit mit grausamer psychischer Gewalt gegenüber Kindern verbunden sind:

Alles muss aufgegessen werden, was auf den Teller kommt! Sonst wird das Gleiche wieder aufgetischt!

Lass das Kind nachts schreien, seine Lunge wird dadurch stärker!

Lass dich nicht tyrannisieren vom kleinen Quälgeist!

Das Erziehungskonzept der Kriegsgeneration bestand größtenteils aus autoritärem Handeln, strengen Regeln und Verboten – und nicht selten der Prügelstrafe. Zorn, Enttäuschung und Wut durfte das Kind damals nicht ausleben, bei Widersetzung wurde es bestraft. Es fühlte sich nicht vorbehaltlos geliebt, sondern nur dann, wenn es gehorchte, gut aß und nicht weinte. Je fehlerfreier und perfekter es die Erwartungen erfüllte, umso mehr konnte es ein Lob erwarten. Unser heute weit verbreiteter Druck durch Perfektionismus, unser Funktionieren nach dem Leistungsprinzip haben hier ihre Wurzeln.

Es ist nachvollziehbar, dass Eltern, die unter derartigen Erziehungsmethoden leiden mussten und sich der nachteiligen Folgen bewusst sind, alles anders, alles besser machen möchten. Aufgrund der selbst erlebten Entbehrungen und uneinfühlsamen Erziehung durch ihre Eltern haben sie selbst viele ungestillte Bedürfnisse nach Versorgung und Nähe. Weint ihr Kind, halten sie dies kaum aus, weil die eigenen seelischen Wunden aufbrechen. Unmittelbar sind sie dann bemüht, ihr Kind zum Schweigen zu bringen, indem sie es mit allen möglichen Geschenken, Essen oder konstanter Nähe zu trösten versuchen. Wegen der fehlenden Einfühlungsfähigkeit bekommen die Kinder aber nicht immer das, was sie gerade wirklich benötigen. Viele Eltern trösten heute mit Essen, egal warum ihr Kind auch immer weint. Wenn das Kind wirklich Hunger hat, ist altersgerechte Ernährung die richtige Antwort der Eltern. Wenn das Kind aber Langeweile hat, die Umwelt erkunden oder mit den Eltern spielen möchte, ist es nicht angemessen, es auf den Schoß zu nehmen und zu füttern oder ihm das dritte Eis zu kaufen. Wegen des selbst erlebten fehlenden Einfühlungsvermögens ihrer Eltern wissen die neuen Eltern aber nicht, wie sie die Signale ihrer Säuglinge richtig deuten und wie sie angemessen und altersgerecht darauf reagieren sollen. Da die wahren Bedürfnisse ihrer Kinder nicht von ihnen erkannt und beantwortet werden, quengeln die Kinder weiter und werden zu unzufriedenen Familienmitgliedern. Leider geben viele Eltern in dieser Situation ihren Kindern »mehr vom Selben«, aber nicht das, was ihre Kinder wirklich brauchen. So werden ihre Kinder verwöhnt, indem sie schließlich gelernt haben, dass sie für alle möglichen Formen von Erregung oder Unwohlsein immer mit der gleichen Antwort, wie etwa Nahrungsangeboten, »beruhigt« werden. Sobald sie können, greifen die Kinder im späteren Leben selbständig etwa auf Essen als Tröster in allen möglichen Lebenslagen, die mit Stress verbunden sind, zurück.

Durch die Übertragung der eigenen Wünsche auf das Kind gehen die Eltern oft an den wahren Grundbedürfnissen des Nachwuchses vorbei. Sie gewähren ihm seinen Willen, statt Geborgenheit und klare Strukturen in Einklang zu bringen. Und sie zeigen sich allzu nachgiebig, wo liebevolle, doch konsequente Abmachungen guttäten. Aus dem Impuls heraus, ungesunde Machtstrukturen zu verhindern, schießen sie über das Ziel hinaus und können kein verlässliches Regelsystem aufbauen, das den Kindern Orientierung bietet.

Peter Riedesser vermeidet, wenn es um das Zusammenleben mit Kindern geht, den Begriff »Grenzen«. Vielmehr betont er, es sei wichtig, eine Beziehung zum Nachwuchs aufzubauen. »Grenzen brauchen an erster Stelle die Erwachsenen«, so der Mediziner und Psychoanalytiker. »Sie müssen lernen, sich konsequent zu verhalten. Und sie dürfen sich umgekehrt auch nicht ständig vom Zusammensein mit ihren Kindern ablenken lassen durch Telefonate und andere Alltäglichkeiten. Sie müssen ansprechbar sein und ihre Grenzen zuverlässig einhalten. So sollten sie vermeiden, in des Kindes Gegenwart zu streiten, sich gegenseitig anzuschreien und durch eine unberechenbare und nicht kalkulierbare An- und Abwesenheit Unsicherheiten entstehen zu lassen.«

Das schlechte Gewissen berufstätiger Eltern, die ihre Kinder erst abends sehen, tut dennoch ein Übriges, um die Erziehung in eine falsche Richtung zu lenken. Das Wissen um den Mangel an Zeit, in der sie ihrem Kind Liebe und Geborgenheit geben wollten, veranlasst sie zu wahrer Unterwürfigkeit. Das leiseste Zeichen wird als sanfter Befehl wahrgenommen, und selbst bei unsinnigen Forderungen gewährt man dem Kind seine Narrenfreiheit. Doch eine Freiheit ohne Maß und ohne Geborgenheit führt in eine Gefangenschaft, nämlich die der eigenen Zwänge.

Für die Kinder ist es außerordentlich schwer, mit den Widersprüchen der Erwachsenen umzugehen. Sie sind in ihrem Inneren verunsichert, wenn die Zuverlässigkeit der elterlichen Reaktionen, deren Ansprechbarkeit brüchig geworden sind. Ein Aufbau von Vertrauen wird in solchen Beziehung unmöglich. Daher müssen Kinder ständig testen, welche Regeln, Grenzen, Abmachungen und Arrangements jetzt Gültigkeit besitzen, wenn diese nicht klar und verlässlich sind, und wann ihre Eltern tatsächlich für sie emotional ansprechbar und »ganz Ohr« und mit ganzem Herzen verfügbar sind.

Und so werden sich in Zukunft einige unserer Kinder mit den Folgen ihrer unzulänglichen Erziehung herumplagen müssen – durch den unbewussten Anspruch der Eltern und ihrem Wunsch, bestimmte Bedürfnisse nachzuholen.

Die Verantwortung, die unsere Politik und auch wir als Gesellschaft für unsere Kinder haben, ist gar nicht zu überschätzen, doch die Gratwanderung im Bemühen, alles richtig zu machen, ist äußerst schwierig. Die Fragen, die wir uns stellen müssen, lauten: Wie nehmen wir die Verpflichtung für unsere Kinder in der Zukunft wahr? Was möchten wir ihnen vermitteln? Wie viel Sicherheit und Selbstbewusstsein können und müssen wir ihnen mit auf den Weg geben? Dürfen wir das Risiko eingehen, sie emotional verwahrlosen zu lassen? Dürfen wir ihnen verwehren, in der Familie Bindungsqualitäten zu erleben, die später ihre gesamten Beziehungen prägen werden? Wollen wir distanzierte, emotional kühlere Beziehungen oder ein herzliches, liebevolles, fürsorgliches Miteinander? Wie soll unsere Gesellschaft aussehen? Unsere Zukunft?

Es sind Fragen, die jeden Menschen nachdenklich machen sollten. Und ich möchte allen Müttern und Vätern ans Herz legen, genau abzuwägen, ob es wirklich unabdingbar ist, dass beide Elternteile kurz nach der Entbindung wieder arbeiten gehen müssen. Ist der wirtschaftliche Druck tatsächlich so hoch? Oder ist es nicht vielmehr die öffentliche, gesellschaftlich anerkannte Meinung, durch die wir uns leiten lassen?

Eine Mutter, die sozial gut eingebettet ist, also über ein Umfeld verfügt, das sie in der Betreuung unterstützt, sollte sich dreimal überlegen, ob sie ihr Kind in den ersten, prägenden Jahren nicht lieber zu Hause großzieht oder ob sie es wirklich in eine vielleicht ungewisse Umgebung abgibt.

Immerhin ist in Westeuropa und in den USA eine Umorientierung hin zu ursprünglichen Modellen bereits sichtbar:

Rooming-in, Hausgeburten und Stillen nach Bedarf sind, wenn auch langsam, wieder auf dem Vormarsch. Immer mehr Eltern versuchen, sich von überkommenen Erziehungsvorgaben zu lösen und ihren eigenen Weg zu finden, jenseits von starren Theorien.

Der Hamburger Soziologe Heinz Bude, Experte auf dem Gebiet der gesellschaftlichen Entwicklungen in Deutschland, schrieb 2003: »Es ist vielen klar, dass die Bundesrepublik nach dem Ende ihrer glücklichen Zeit auf die Haltekonstruktionen des Sozialstaates nicht mehr bauen kann. Deshalb nimmt der Bedarf an Selbstverantwortung und Eigeninitiative zu. Das ist der Kern des Bürgers: Er ist für sich selbst verantwortlich. Zu den alten und neuen Tugenden gehören Sitte, Höflichkeit, Disziplin, Respekt und Familienstolz.«

Emotionen haben uns seit jeher geleitet. Sie sind gewissermaßen die für uns hörbaren Töne, die das Orchester unserer Instinkte erzeugt. Wenn dieses Orchester aufspielt, so läuten bei uns alle Glocken. Das Lied, das aufgeführt wird, ist von der Natur komponiert. Und es ist einfach. Nach Millionen Jahren der natürlichen Anpassung sind aber nur die Noten übrig geblieben, die dem Leben und dem Überleben dienen. Mütter und auch Väter sollten deshalb in sich hineinhorchen und sich durch ihr inneres Gefühl leiten lassen. Es handelt sich nicht um naive Naturromantik, um ein einfaches »Zurück zur Natur«, wenn hier die Wichtigkeit der Nähe und Intensität zwischen Mutter, Vater und Kind als unser natürliches Erbe hervorgehoben wird.

Wir sollten heute sehr sorgsam abwägen, wie wir unser Leben gestalten möchten, welchen Stellenwert wir unseren Kindern geben wollen und welche Glücksversprechen damit verbunden sind. Einen individuellen Entwurf zu finden ist die Herausforderung an jede Mutter und jeden Vater.

Wir haben durchschnittlich vierzig Jahre Zeit, um unsere beruflichen Wünsche und Ziele zu verwirklichen. Die moderne Medizin mit ihren lebensverlängernden Maßnahmen ermöglicht uns überdies eine höhere Lebenserwartung. Dagegen wirkt der Zeitraum unverhältnismäßig kurz, der uns als Mütter und Vätern bleibt, um unseren Kindern die Sicherheit und Liebe zu geben, die sie benötigen, um stabile, gesunde und fröhliche Menschen zu werden. Auch wenn es auf diesem Weg immer wieder Momente geben wird, in denen es uns schwerfällt, allem gerecht zu werden, so wissen wir doch, dass es Millionen von Eltern in ähnlichen Situationen nicht anders ergeht. Entmutigen lassen sollten wir uns daher nicht.

Als der schwedischen Kinderbuchautorin Astrid Lindgren im Oktober 1978 in der Frankfurter Paulskirche der Friedenspreis des Deutschen Buchhandels verliehen wurde, hielt sie eine eindrucksvolle Rede, die ihr zunächst untersagt worden war. Sie hätte auf den Preis verzichtet, wäre es beim Verbot geblieben. Der Titel ihres Vortrags lautete: »Niemals Gewalt!« Und hiermit war nicht nur die körperliche, sondern vor allem die Verletzung der Kinderseelen gemeint. Unter anderem heißt es darin: »Blicken wir nun einmal zurück zu den Methoden der Kindererziehung früherer Zeiten. Ging es dabei nicht allzu häufig darum, den Willen des Kindes mit Gewalt, sei sie physischer oder psychischer Art, zu brechen? Wie viele Kinder haben ihren ersten Unterricht in Gewalt ›von denen, die man liebt‹, nämlich von den eigenen Eltern, erhalten und dieses Wissen dann der nächsten Generation weitergegeben? ...

Ja, aber wenn wir nun unsere Kinder ohne Gewalt und ohne irgendwelche straffen Ziele erziehen, entsteht dadurch schon ein neues Menschengeschlecht? Das in ewigem Frieden lebt? Etwas so Einfältiges kann sich wohl nur ein Kinderbuchautor erhoffen! Ich weiß, dass es eine Utopie ist. Und ganz gewiss gibt es in unserer armen, kranken Welt noch sehr viel anderes, was gleichfalls verändert werden muss, soll es Frieden geben. Aber in dieser, unserer Gegenwart gibt es – selbst ohne Krieg – so unfassbar viel Grausamkeit, Gewalt und Unterdrückung auf Erden, und das bleibt den Kindern keineswegs verborgen. Sie sehen und hören und lesen es täglich, und schließlich glauben sie gar, Gewalt sei ein natürlicher Zustand. Müssen wir ihnen dann wenigstens nicht daheim durch unser Beispiel zeigen, dass es eine andere Art zu leben gibt?«

Was ihr säet, werdet ihr ernten, so steht es in der Bibel. Es sind kleine Körnchen, die wir ins Erdreich legen, die Ernte jedoch wird riesig. Im Guten wie im Schlechten.

5
Die Krise der Sexualität – warum wir unser Menschsein verspielen

»In den fünfziger Jahren durften wir keinen Sex, vierzig Jahre später wollen wir keinen mehr haben«, resümiert Professor Gunter Schmidt, ehemaliger Leiter der Abteilung für Sexualforschung der Psychiatrischen Klinik an der Universität Hamburg, über den Lustfaktor in deutschen Betten. Internationale Untersuchungen von Sexualforschern kommen alle zu dem gleichen Ergebnis: Viele Beziehungen sind geprägt von sexueller Langeweile. Oder, wie es Dr. Werner Habermehl ausdrückt: »Für die meisten Menschen ist Sex so spannend wie Duschen.« 45 Prozent aller deutschen Männer, so das Ergebnis seiner Levitra-Studie von 2005, haben Erektionsprobleme oder sind impotent.

Eine fast unglaubliche Zahl. Noch höher allerdings ist die Zahl der Frauen mit sexuellen Störungen. Eine Umfrage der Urologischen Klinik Köln, in der Frauen nach ihrer sexuellen Aktivität, ihrer Lust auf Sex und nach sexuellen Empfindungen gefragt wurden, kommt zu dem Schluss, dass 60 Prozent der deutschen Frauen davon betroffen sind. Sie wollen keinen Sex oder haben keine Freude daran. In den USA sind es 45 Prozent: FSD (Female Sexual Dysfunction), einst ein rein wissenschaftlichen Begriff, ist zu einem Wort des täglichen Sprachgebrauchs geworden.

Von einer Krankheit im physischen Sinne zu sprechen wäre zu kurz gegriffen, denn abgesehen von seltenen körperlichen – wie etwa hormonellen – Störungen ist es bei den meisten Frauen und Männern eine Frage der Psyche, ob sie ihre Sexualität ausleben und als befriedigend empfinden. Dennoch: Sexualität ist zu einem therapiebedürftigen Fall geworden, eine Lawine von Ratgebern mit Thesen und Tipps überrollt uns seit Jahren – doch geändert hat sich dadurch nichts: Es wird viel über Sex geredet und wenig praktiziert.

Es liegt auf der Hand, dass die umfassende Sexualisierung unserer Gesellschaft, die Überflutung mit Pornographie, die allgegenwärtige Extremsportart Sex Erwartungen weckt, die im Alltag nicht annähernd erfüllt werden können. Oder angesichts des Erfolgsdrucks gar nicht mehr geleistet werden wollen.

Sex als Problem, Sex als Hochleistungssport, als Reizbefriedigung – vom Zeugen und Empfangen ist längst nicht mehr die Rede. Könnte es nicht sein, dass uns mit dem unterdrückten Kinderwunsch die Lust abhanden kam? Könnte es sein, dass wir auf dem besten Wege sind, neutral, steril, unfruchtbar zu werden? Sind wir, ohne es uns einzugestehen, frustriert, weil wir Sexualität nachhaltig abgekoppelt haben von der Fortpflanzung? Es spricht vieles dafür. Adam und Eva sind offenbar am Nullpunkt angekommen.

Fortpflanzung ist die Grundlage allen Lebens. Ohne die Neigung, Nachwuchs zeugen zu wollen, wäre die Erde längst wüst und leer, eine Steppe ohne Tiere, Pflanzen und Menschen. Der ewige Kreislauf der Natur wiederholt jedoch Prozesse wie Wachsen, Blühen, Reifen, Altern, Absterben und Neugeburt. Genau genommen herrscht auf dieser Erde nur dieser eine Grundsatz: Das Leben muss weitergehen.

Auf ewig Sex

Mit der Existenz zweier Geschlechter und dem Prinzip der Fortpflanzung wurden Instrumente geschaffen, um das Überleben sicherzustellen. Der Sexualtrieb sorgte für die andauende Erneuerung unserer Welt, ganz gleich, welche kulturellen Einflüsse wirksam wurden und welche geschichtlichen Entwicklungen sich ereigneten. Doch neuerdings scheint das nicht mehr zu gelten. Es ist schon merkwürdig, dass wir nie zuvor so offen über Sex redeten wie in den vergangenen Jahrzehnten, während sich im selben Zeitraum ein drastischer Geburtenrückgang in Deutschland beobachten lässt. Diese Tatsache wirft einige Fragen auf: Sollten wir momentan tatsächlich im Begriff sein, uns von unserem Reproduktionsprogramm zu lösen? Warum ist ausgerechnet die »sexualisierte Gesellschaft« eine zunehmend kinderlose Gesellschaft? Welche Randbedingungen haben sich geändert?

Wenn wir das Thema Fortpflanzung und Sexualität im Hinblick auf die heute geltenden Geschlechterrollen diskutieren, stoßen wir schnell an Grenzen und Tabus: Lust und Liebe, Trieb und Sexualität – sind dies nicht unsere sehr persönlichen Angelegenheiten? Hat nicht jeder das Recht, seine eigene Variante der Sexualität auszuleben? Und ist es nicht sogar altmodisch, Sexualität und Fortpflanzung im selben

Atemzug zu nennen angesichts moderner Methoden zur Empfängnisverhütung?

Wir sollten zunächst einmal klären, was der Begriff »Sexualität« bedeutet. Schlägt man im Lexikon nach, so wird Sexualität als »die Geschlechtlichkeit, die Gesamtheit der im Sexus begründeten Lebensäußerungen« definiert. Mit Sexus ist also zum einen das Geschlecht gemeint, zum anderen die sexuellen Verhaltensweisen, die sich aus dem männlichen beziehungsweise weiblichen Prinzip ergeben. Offen bleibt bei dieser Definition, ob wir, abhängig vom Geschlecht, biologisch zu bestimmten Verhaltensweisen »verurteilt« sind oder ob sie durch gesellschaftliche Entwicklungen abweichen können.

Vieles spricht dafür, dass die Sexualkraft zwar eine Naturgewalt ist, dass die Spielarten gelebter Sexualität aber großen Schwankungen unterliegen. Sonst ließe sich nicht erklären, dass gerade in unserem »tabulosen« Zeitalter die ungehemmte Begierde und das ungezügelte Ausleben der Sinne grundsätzlich als erwünscht gilt, zugleich aber Lustlosigkeit, Ängste und Partnerschaftsprobleme die Sexualität zum Problem werden lassen und den Fortpflanzungstrieb unterdrücken.

Freie Liebe, Sexualität als Selbstausdruck, pure Lust, Genuss mit Pille und ohne Reue, das sind die Parolen, die vor einigen Jahrzehnten ausgerufen wurden und auch heute noch toleriert werden, selbst von jenen, die sich wieder fest binden. Doch es wäre ein Trugschluss, anzunehmen, dass sich damit auch unsere Sexualität von den grundlegenden Verhaltensmustern gelöst hat, die ursprünglich der Fortpflanzung dienten. Trotz aller Irritationen, trotz aller kulturellen Einflüsse folgen wir immer noch, ohne es zu wissen, jenen Regeln, die den Fortbestand der Menschheit sicherten.

Wer so etwas äußert, bewegt sich auf heiklem Boden. Es erscheint vielen nahezu als eine Beleidigung des modernen, selbstbestimmten Ichs, wenn mit Instinkt und Geschlecht argumentiert wird. Haben wir nicht auch Verstand? Gefühl? Sind wir nicht dem Tier dadurch überlegen, dass wir bewusst Entscheidungen treffen können? Können wir nicht neuartige Formen von Liebe und Sexualität ausleben, wenn wir uns eigenmächtig vom Fortpflanzungsdruck befreien?

Wir hören nicht gern, dass wir aufgrund unseres Geschlechts und unseres Fortpflanzungsinstinkts bestimmte Muster erfüllen könnten oder sogar sollten. »Mein Schlafzimmer gehört mir«, lautet das Credo. Und doch hat gerade die vermeintliche Loslösung der Sexualität von Bestimmungen, Moralvorstellungen und nicht zuletzt von ihrem eigentlichen Sinn und Zweck, der Zeugung, mehr Verwirrung gestiftet als Freiheit gegeben.

Warum? Weil wir ein uraltes Erbe typischer Verhaltens- und Wahrnehmungsformen in uns tragen, das im Innern zur Wirkung kommt und unser Verhalten lenkt. Es prallt auf unser heutiges Selbstverständnis, das viele Werte über Bord geworfen hat – und so kann es zu ernsthaften Schwierigkeiten kommen. Der Kinderwunsch mag nicht immer offen ausgesprochen und ausgelebt werden, unterbewusst aber ist er ein fester Bestandteil unseres Menschseins; wo er unterdrückt oder zerredet wird, entstehen Probleme, nicht nur für unsere überalterte Gesellschaft, sondern auch für uns Frauen.

Heike, eine Bekannte, befand sich vor zwei Jahren in diesen Konflikten. Sie war Anfang dreißig, verheiratet, berufstätig und hatte sich zusammen mit ihrem Mann gerade eine Eigentumswohnung gekauft. Darin gab es einen kleinen sonnigen Raum, den sie immer als Kinderzimmer geplant hatte, ohne groß darüber zu reden. Eines Tages saß Heike tränenüberströmt in meiner Küche. Erst nach und nach gestand sie, was sie so aufwühlte: Als sie über ein Baby gesprochen hatte, war ihr Mann wie vor den Kopf gestoßen gewesen. »Wir haben uns doch gerade erst etwas aufgebaut«, hatte er getobt. »Ein Kind wirft uns um Jahre zurück! Und überhaupt: Das wird ein Computerzimmer!«

Nach einer weiteren halben Stunde offenbarte Heike, dass ihr Mann immer schon ablehnend reagiert hätte, wenn sie über Kinder sprachen. Sie hatte gehofft, dass sich das mit der Zeit ändern würde. Nun aber ticke ihre »biologische Uhr«, und sie gerate in Panik. »Wie viel Zeit bleibt mir denn?«, schluchzte sie. »Wie lange soll ich noch warten? Zehn Jahre weiter und ich werde keine Kinder mehr bekommen!« Ich versuchte sie zu trösten, obwohl ich wusste, dass eine Lösung unter diesen Bedingungen kaum vorstellbar war.

Seit dem Kinderstreit hing bei ihr übrigens nicht nur der Haussegen schief, auch das Schlafzimmer war zum Dürregebiet geworden. Heike hatte die Lust auf Sex verloren. Sie war sich nicht ganz sicher, aber sie vermutete, dass es etwas mit dem Gebärverbot zu tun hatte, das ihr Mann ausgesprochen hatte. Und jedes Mal, wenn sie ihre Regel bekam, musste sie weinen. Heike trauerte dann, als hätte sie ein Kind verloren. Manchmal träumte sie von einem Baby, sah es ganz real vor sich, sein Gesicht, das Lachen, doch am nächsten Morgen war dann alles wieder vorbei.

Nachdem sich Heike von mir verabschiedet hatte, beschäftigte mich noch lange ihr Schicksal. Eine Weile war es gut gegangen mit ihr und ihrem Mann. Eine Zeit lang hatte sie sich ablenken können von ihrem tiefen Wunsch nach Kindern. Umso schockierter war sie nun, dass Kinder möglicherweise gar nicht mehr für sie in Frage kamen. Ihr Mann fand sie sentimental, es fiel sogar das böse Wort »Muttertier«. Und er hatte sofort Beispiele aus ihrem Bekanntenkreis parat, wo sich die Frauen nicht so »kindisch« verhielten, sondern »vernünftig«.

Heikes Dilemma ist auch mir nicht unbekannt. Viele Jahre lang erschien es mir völlig ausreichend, alle meine Talente, Begabungen, Wünsche und Pläne im Beruf auszuleben. Höher, schneller, weiter, dieses sportliche Motto trieb mich unbewusst zu immer größeren und besseren Leistungen und zu immer mehr Erfolg an. Ich habe alle Zeit der Welt, dachte ich. Kinder? Klar, auf jeden Fall. Aber erst später, irgendwann.

Die biologische Uhr tickt

Meine biologische Uhr begann zu ticken, als ich mich zwischen dem dreißigsten und fünfunddreißigsten Lebensjahr befand. Fast über Nacht begann sich meine Sicht auf den Wert jener Dinge zu verändern, die das Leben ausmachen, und eine diffuse Sehnsucht stieg allmählich auf. Es genügte auf einmal nicht mehr, dass ich erfolgreich war und mir die kleinen und größeren Dinge leisten konnte, wann immer ich es wollte. Eine Ahnung entstand, dass es etwas Wichtigeres, Größeres geben müsste, als es die bunte Abwechslung des Jahrmarkts, auf dem ich lebte, je bieten konnte.

Als ich an keinem Kinderwagen mehr vorbeikam, ohne einen längeren Blick hineinzuwerfen, wurde mir recht schnell klar, was mit mir geschehen war: Ich konnte und wollte meinen Wunsch nach einem Kind nicht länger verdrängen. Glücklicherweise ging es meinem Mann ebenso. So entschlossen wir uns zu diesem lebensverändernden Schritt und planten ein Kind.

Einige Zeit später kam es zu einem denkwürdigen Abend, der ein weiteres Schicksal lenken sollte. Wir besuchten meine enge Freundin Elfi, die ebenso berufstätig war wie ich, erfolgreich in der Medienbranche, immer auf Reisen und vom positiven Echo ihrer Kollegen beflügelt. Auch ihr Mann, der als leitender Redakteur einer Zeitung arbeitete, genoss großes Ansehen. Sie lebten in einer schönen großen Altbauwohnung, das Paar war glücklich, alles schien in bester Ordnung.

Die beiden konnten wunderbar Klavier spielen und luden uns ein auf eine musikalische Reise. So saßen sie nebeneinander auf der Klavierbank, griffen vierhändig in die Tasten, und die Musik Beethovens erfüllte den riesigen Raum mit den hohen Stuckdecken. Während ich zuhörte, dachte ich plötzlich: Wie groß und wie leer diese Wohnung ist. Warum spielen hier keine Kinder? Warum werden die beiden all ihr Wissen, ihre Talente, ihre Gefühle nicht an eine nächste Generation weitergeben? Was hindert sie daran?

Ich zögerte, diesen Gedanken auszusprechen. Schließlich lebte ich ja selbst noch so wie meine Freunde, obwohl in meinem Inneren bereits ein bedeutsamer Wandel stattgefunden hatte. Doch in den letzten Monaten hatte sich herausgestellt, dass ich nicht »mal eben so« schwanger werden konnte. Diese Erkenntnis hatte bei mir bereits zu großer Traurigkeit und etlichen Weinanfällen geführt. Eine Art Torschlusspanik hatte mich ergriffen, die mich stark für andere kinderlose Frauen in meinem Alter sensibilisierte.

So beschloss ich, nach dem kleinen Hauskonzert die Flucht nach vorn zu wagen. Tapfer lächelnd sagte ich: »Also, wenn hier nicht bald Kinder spielen, kündige ich euch die Freundschaft!« Alle sahen mich entgeistert an. Hatten sie sich verhört? Kinder? »Jawohl, Kinder«, sagte ich. »Ihr denkt: Kinder, sicher, irgendwann mal, aber ihr werdet den Zeitpunkt verpassen. Und irgendwann ist es zu spät!«

Zunächst entbrannte eine heftige Diskussion. Darauf folgte ein eher leises, nachdenkliches Gespräch. Es ging um Lebensziele, um Werte, um die existenzielle Frage, wie wir uns die nächsten Jahrzehnte vorstellten. Und dann sagte Elfi: »Gut, morgen früh werfe ich die Pille in den Müll!« Und so trafen dann auch unsere Freunde diesen, wie sie später sagten, befreienden Entschluss. Ein Jahr später waren Elfi und ich beide Mütter, gehörten mit siebenunddreißig Jahren zu der medizinischen Risikogruppe der Spätgebärenden und hatten die Kurve gerade noch mal eben gekriegt.

Heute unterhalten wir uns manchmal darüber, wie schön es wäre, nicht immer zu den ältesten Müttern bei Elternabenden und Schulveranstaltungen zu gehören. Wenn wir früher den Mut gehabt hätten, den Sinn unserer beruflichen Karriere in Frage zu stellen, hätten wir gewiss die Möglichkeit gehabt, weitere Kinder zu bekommen. Das jedoch blieb Elfi und mir versagt.

Medizinisch gesehen nehmen die Chancen, schwanger zu werden, bereits mit Anfang dreißig stark ab, ab Mitte dreißig zwischen fünf und zehn Prozent jährlich. Die »biologische Uhr« ist also nicht nur das ungewisse Gefühl, dass von einem bestimmten Zeitpunkt der langsam nahende Beginn zur Kinderlosigkeit angemahnt wird; vielmehr verweist sie auf die Tatsache, dass eine späte Mutterschaft mit jedem weiteren Jahr des Wartens unwahrscheinlicher wird. Das wird von vielen Frauen übersehen, die ihren Kinderwunsch vertagen.

Schon heute liegt das Durchschnittsalter deutscher Mütter bei der ersten Geburt bei etwa dreißig Jahren, und es steigt weiter an. Wenn eine Frau mit Mitte oder Ende dreißig dennoch schwanger wird, so hat sie durch ihre Lebensplanung, ohne es zu wissen oder zu wollen, oftmals die Entscheidung für ein Einzelkind getroffen.

Die innere Stimme

Das Beispiel meiner Freundin macht deutlich, dass es manchmal keiner langwierigen Planung bedarf, bei der alles genau durchdacht und jede Folge einzeln ausgeleuchtet werden muss. Elfi selbst hatte längst den Wunsch in sich getragen, Mutter zu werden. Doch blieb dieser überdeckt vom alltäglichen Geldverdienen, vom Karrierestreben und auch von der gewohnten und lieb gewonnenen Behaglichkeit zu zweit. Der beherzte Mut der beiden, an diesem Abend »ja« zu sagen zur Familie, egal wie schwierig dieser Schritt werden könnte, wurde reichlich belohnt.

Doch ich kenne auch ganz andere Beispiele, wo Intuition, Aufmerksamkeit und schließlich die Entschlusskraft zur rechten Zeit fehlten und ein Kinderwunsch nicht mehr erfüllt werden konnte. Die entscheidenden Jahre ziehen oft unbemerkt dahin, und während die Frauen und Männer irgendwie immer noch auf eine ideale Gelegenheit warten, ist sie biologisch gesehen schon längst vorbei. Traurige Zeiten brechen dann bisweilen für die betroffenen Paare an, und besonders dramatisch trifft das die Frauen. Versagensgefühle entstehen, der Schmerz über die verpassten Chancen und die versiegte und unwiederbringliche Fruchtbarkeit richten nachhaltige seelische Schäden an, von denen sich manche Frauen kaum noch erholen.

Dazu kommt das Älterwerden, was die Empfindung der Trostlosigkeit maßlos vertiefen und in einigen Fällen zu Depressionen führen kann. Die Karriere, in die man so viel investierte und die das einstmals gepriesene herrlich freie Dasein zuverlässig bediente und garantierte, wird zum Gegner oder bekommt zumindest einen bitteren Beigeschmack.

Natürlich ist nicht alles nur allein eine Frage der Planung. Ein hoher Prozentsatz der kinderlosen Frauen nennt den fehlenden Partner als Hauptgrund, andere den Wunsch nach Beibehaltung des Lebensstandards. Die Versuche, die viele Frauen dann schließlich unternehmen, um der Fruchtbarkeitsfalle doch noch in allerletzter Minute zu entkommen, sind vielfältig und muten nicht selten tragisch an. Bevor umfangreiche medizinische Ursachenforschung nach den Gründen der Kinderlosigkeit an beiden Partnern durchgeführt wird, sorgen nicht selten verdeckte gegenseitige Schuldzuweisungen dafür, dass die Stimmung sinkt und die Beziehung in Gefahr gerät.

Doch auch der Ausflug in die Wartezimmer von Gynäkologen und Fertilitätsexperten ist eine Belastungsprobe für die Partnerschaft. Langwierige Hormonbehandlungen für die Frau sind da noch die einfachere Methode. Belastender ist es, wenn die Möglichkeiten der künstlichen Befruchtung nicht nur erwogen, sondern praktisch durchgeführt werden. Die zum Teil entwürdigenden Situationen, die solche Behandlungen mit sich bringen, erträgt man tapfer – und tröstet sich damit, dass kein Weg zu steinig sein sollte für das ersehnte Baby. Dass die gesetzlichen Krankenkassen derartige Verfahren meist übernehmen, spricht dafür, dass auch aus gesundheitspolitischer Sicht die Verzweiflung und die psychische Gefährdung ungewollt kinderloser Paare ernst genommen werden. Aus diesem Grund wird parallel zur künstlichen Befruchtung die psychologische Situation der Kinder wünschenden Paare untersucht und begleitet.

Die Behandlungsmethoden wurden in den letzten zwanzig Jahren fortdauernd entwickelt und erweitert. Mediziner tüfteln immer neue Methoden aus, zum Teil ethisch fragwürdige und umstrittene Verfahren, um unglücklichen Paaren zu helfen. Im Jahr 2002 wurden etwa 50 000 Frauen in Deutschland registriert, die sich einem reproduktionsmedizinischen Verfahren unterzogen. Doch die Erfolgsrate nach einer solchen Behandlung ist niedrig, sie liegt deutlich unter 20 Prozent.

Wer also mit Ende dreißig noch problemlos schwanger wird, hat Glück. In der Hochphase ihrer Fruchtbarkeit nehmen die wenigsten Frauen dieses biologische Geschenk bewusst wahr. Es sind komplizierte Ausbildungs- und Studienbiographien, die sie derartige Überlegungen in vielen Fällen nicht bemerken, geschweige denn umsetzen lassen wollen. Besonders gut ausgebildete Akademikerinnen möchten erst Karriere machen und verschieben den Kinderwunsch, bis es zu spät ist. Verübeln kann ihnen das bei den langen Ausbildungszeiten in Deutschland niemand, schließlich macht man seinen Doktor nicht, um kurz darauf Legohäuser zusammenzubauen.

Allerdings hält die Natur nicht inne, um uns jederzeit alles, was wir uns wünschen, zu ermöglichen. Sie gibt ein klares Zeitraster vor, und irgendwann ist der Weg zur Mutterschaft unwiderruflich versperrt. Manchmal frage ich jüngere Frauen um die dreißig, ob sie sich denn Kinder wünschen. Die Antworten ähneln sich in den meisten Fällen: »Ja klar, auf jeden Fall. Aber ich habe ja noch genügend Zeit.« Worte, die ich nur allzu gut aus eigenem Erleben kenne. Einwände hört man in dieser Situation nicht gerne. Man fegt unbequeme Fragen schnell vom Tisch, um nicht ins Grübeln zu kommen. Vielleicht, weil man tief in seinem Innern weiß, wie einfach und wie nahe liegend die Wahrheit ist.

Weder Heike, Elfi noch ich sind »Muttertiere«. Wir sind ganz normale Frauen, die ihre Instinkte und weiblichen Prägungen lange haben überdecken können. Doch brach sich buchstäblich in letzter Minute Bahn, was offenbar stärker in uns wirkt als die Befriedigung durch eigenständiges Geldverdienen, durch unseren Beruf oder eine schöne Wohnung, was wichtiger ist als eine funktionierende Partnerschaft allein, machtvoller auch als die pure Lust an der körperlichen Liebe: das Prinzip Leben.

Gesucht: der Wunschpartner

Viele Frauen, ganz gleich ob sie in einer festen Beziehung oder alleine leben, stellen irgendwann fest, dass ihnen der geeignete Partner fehlt, um ihren Kinderwunsch zu verwirklichen. Doch woher nehmen und nicht stehlen? Wie erkennen wir, dass es der Richtige ist?

Bezeichnenderweise hat die Natur es offenbar so eingerichtet, dass die Partnerwahl zugleich die Wahl des idealen zukünftigen Vaters beziehungsweise der zukünftigen Mutter eigener Kinder bedeutet. Unsere romantischen Vorstellungen von Liebe, losgelöst von der Gründung einer Familie, sind offenbar eine Illusion, denn unbewusst folgen wir unserem evolutionären Programm, das die Fortpflanzung als höchste Priorität vorsieht.

Versuchen wir, diesem Gedanken auf den Grund zu gehen, beginnen wir mit einer Frage: Warum finden wir einen Menschen überhaupt attraktiv? In Umfragen werden immer wieder die gleichen Eigenschaften genannt, die auf dem Wunschzettel stehen, wenn es um einen idealen Beziehungspartner geht: körperliche Attraktivität, Humor, Treue, um nur einige zu nennen. Interessant ist in diesem Zusammenhang, dass die Merkmale, die wir an Männern und Frauen reizvoll finden, meist auf einer hormonell bedingten »Bestform« beruhen. Das äußere Erscheinungsbild soll Gesundheit, Fruchtbarkeit und Fortpflanzungsfähigkeit versprechen. Trotz aller modebedingten Schwankungen des Schönheitsideals gehören hoher Wuchs, glatte Haut, gesunde Zähne und volle Haare zu den unveränderlichen Merkmalen, die uns einen Menschen als anziehend erscheinen lassen. Beim Mann kommen eine gut ausgebildete Muskulatur, ausgeprägte Gesichtskonturen und eine energische Körpersprache hinzu, bei der Frau sanfte Rundungen mit den »ewig-weiblichen« Proportionen von Hüfte und Taille, weiche Gesichtskonturen und volle Lippen.

Leichte Abweichungen in verschiedenen historischen Epochen und Völkern sind durchaus erklärbar: Sie geben Aufschluss darüber, welche gesellschaftlichen und kulturellen Entwicklungen gerade stattfinden und welche Signale daher als reizvoll empfunden werden. So ist Körperfülle in nahrungsknappen Zeiten – wie etwa in Kriegs- und Nachkriegsjahren – ein Zeichen für Wohlstand, Macht und Gesundheit, während Menschen, die schlank sind, heute als fit und vital angesehen werden.

In einer groß angelegten Studie über die Wahl eines Partners hat eine amerikanische Universität siebenunddreißig Länder miteinander verglichen – und kaum Unterschiede feststellen können. Evolutionspsychologen wissen schon lange, dass der Kinderwunsch die prägende, doch meist unbewusst wirkende Rolle bei der Partnerwahl spielt. Frauen bevorzugen starke, statushöhere Männer, mithin Beschützertypen, die, so die instinktive Wertung, Frau und Nachwuchs verteidigen und ernähren können. Wobei Frauen wählerischer sind als Männer, weil sie im Falle einer Schwangerschaft durch die körperliche und seelische Inanspruchnahme über einen langen Zeitraum biologisch weit mehr »einbringen«. Männer schätzen wiederum weibliche Eigenschaften wie Fürsorglichkeit, weil das die Voraussetzung dafür ist, dass der vorstellbare Nachwuchs überlebt. So könnte in etwa seine Vorstellung sein: Wenn sie mich einlädt und lecker für mich kocht, ist sie die Richtige, denn sie wird auch meine Kinder gut versorgen.

Ein anderer, eher untergründig wirkender Antrieb bei der Partnerwahl ist die Ergänzung der eigenen Gene. Unbewusst suchen wir die Vervollkommnung und Veredelung unserer genetischen Ausstattung. Eine ganze Reihe feinster Signale – bis hin zum Duft eines Menschen – wird als Erkennungszeichen für etwas Fremdes und Reizvolles wahrgenommen, mit der Folge, dass bei der Fortpflanzung unaufhörlich neue Genkombinationen entstehen: die Basis aller Entwicklung.

Claus Wedekind, Berner Evolutionsforscher, wollte es genau wissen. Er hatte beim Paarungsverhalten von Mäusen beobachtet, dass sie am Duft erkennen, wann die ideale Genkombination auf vier Beinen in der Nähe ist. Können vielleicht auch Menschen ihren idealen Partner »erschnüffeln«?, fragte er sich daraufhin.

In einem Experiment gab er Frauen getragene Hemden verschiedener Männer und ließ sie daran riechen. Vorher war die DNA (Erbinformation) aller Versuchspersonen erfasst worden. Die verblüffende Erkenntnis: Jede Frau bevorzugte ein anderes Hemd, dessen Geruch ihr angenehm war. Und immer gehörte es genau jenem Mann, der im Vergleich zur Frau verschiedenartige Erbfaktoren in jenen Bereichen hatte, die für das menschliche Immunsystem zuständig sind. Ihre Kinder hätten also eine optimale Kombination unterschiedlichster Immunabwehr-Gene und eine höhere Überlebenschance gehabt, weil sie widerstandsfähiger gegen Krankheiten gewesen wären.

Aber es ging noch weiter. War die genetische Disposition des Mannes derjenigen der Frau zu ähnlich, empfand sie den Geruch als unangenehm. Biologisch betrachtet ist auch das wiederum sinnvoll: So verhindert die Natur den Inzest und damit gemeinsame Kinder naher Verwandter, die ein erheblich höheres Risiko genetischer Defekte und Erbkrankheiten in sich tragen würden. »Jemanden nicht riechen können«, diese Volksweisheit ist also auch ein Warnsystem der Natur.

Selbstverständlich denken Männer und Frauen nicht augenblicklich über Nachwuchs nach, wenn sie auf einer Party turteln oder sich am Strand kennen lernen. Sie suchen zunächst rein unbewusst den Genoptimierer vom Dienst. »Beuteschema« heißt das dann scherzhaft in unserer Alltagssprache, ein Eingeständnis der Tatsache, dass man immer wieder auf einen ähnlichen Typ Mann »fliegt«.

Haben wir das nicht alle schon einmal erlebt? Dass wir uns verlieben, ohne zu wissen, warum? Und vielleicht ist dies sogar geschehen, obwohl der Verstand uns sagt, dass der Mann oder die Frau intellektuell oder lebenspraktisch gar nicht zu uns passt. Wenn Frauen über Männer sprechen, dann entsteht oft eine humorvoll eingefärbte Hilflosigkeit: Warum gerade der? Warum wieder so einer? Warum verliebe ich mich immer wieder in den gleichen Typus?

In den Fragebögen der Partnerschaftsagenturen werden die häufig genannten Eigenschaften des Wunschpartners wie Fantasie, Kreativität und Humor nicht ohne Grund bevorzugt. Der amerikanische Evolutionsforscher Geoffrey F. Müller hat in seinem Buch *Die sexuelle Evolution* dargelegt, dass das stetige Wachstum des menschlichen Gehirns während der Entwicklungsgeschichte auf diese Weise erklärbar ist. Am »kreativen Werben« des Mannes erkennt eine Frau, ob er einfallsreich genug ist, alle Widrigkeiten zu überwinden und seine spätere Familie findig abzusichern. Ein Mann, der Blumensträuße vor die Tür legt, originelle Liebesbotschaften per SMS verschickt oder den Verlobungsring im Erdbeersorbet versteckt, hat deshalb weit mehr Chancen, ausgesucht zu werden, als ein Mann, der beiläufig fragt: »Gehen wir zu dir oder zu mir?« Die Wahl eines möglichst fantasievollen, intelligenten Mannes ist also eine Überlebensstrategie, die zudem die Entwicklung des *Homo sapiens* ermöglichte.

Eine andere amerikanische Studie aus dem Jahr 2003 zeigt, wie stark die Partnerwahl von Frauen mit der geheimen Suche nach dem idealen Kindsvater verknüpft ist. In einem Experiment sollten Frauen Fotos von Männern bewerten und spontan sagen, wen sie sich für eine längere Beziehung vorstellen könnten. Frauen, die ihren eigenen Vater als liebevoll und fürsorglich erlebt hatten, wählten, ohne zu zögern, Aufnahmen von Männern aus, die ihm ähnelten. Die Untersuchung belegte außerdem, dass Frauen zielsicher jene Männer bevorzugten, die nach den WHO-Richtlinien über eine besonders gute Spermienqualität verfügten und daher bestens zeugungsfähig waren.

Das Adam- und Eva-Prinzip der Fortpflanzung

Wenn wir uns genauer ansehen, welche geschlechtsspezifischen Unterschiede sich bei der Sexualität durch den Fortpflanzungstrieb ergeben, selbst wenn er kulturell verdeckt ist, stoßen wir auf weitere Beispiele. Männer können sich bekanntlich mit einem minimalen Aufwand an Zeit und Energie fortpflanzen. Sie produzieren Abermillionen von Spermien und sind, um einen saloppen Spruch zu zitieren, »allzeit bereit«. Was dazu führt, dass sie theoretisch Kinder in großer Zahl zeugen könnten – der sächsische Kurfürst und spätere polnische König August der Starke soll über zweihundert Kinder gehabt haben.

Doch Männer sind in aller Regel nicht nur in hohem Maße fortpflanzungsfähig, sie sind geradezu darauf ausgelegt, körperliche Vereinigung und Zeugung als Einheit zu sehen – wenn auch unbewusst. Deshalb greifen sie trotz aller Gefahren ungern zu Kondomen. Selbst wenn sie zu Prostituierten gehen, ist »ohne Gummi« der häufigste Wunsch der Freier, obwohl das Gesundheitsrisiko durch Aids und neuerdings auch wieder Syphilis hoch ist und die Männer heutzutage umfangreich informiert sind. Ebenso ungern lassen sich Männer sterilisieren, und unterziehen sie sich doch dem Eingriff, leiden viele danach an Impotenz. Die Verbindung von Zeugungsfähigkeit und Potenz gehört zu ihrem Selbstverständnis.

Frauen dagegen können nur eine begrenzte Anzahl von Kindern gebären, weil jede Schwangerschaft einen enormen Aufwand an Zeit und körperlicher sowie seelischer Kraft bedeutet. Dieser biologische Unterschied führt im Bereich des Sexualverhaltens zu abweichenden Verhaltensmustern: Frauen sind nachweislich weniger an häufig wechselnden Sexualpartnern interessiert als Männer. Das also, was den Anreiz des Sexualtriebs bei den beiden Geschlechtern ausmacht, ist in Wirklichkeit vorwiegend der Druck der Natur auf unsere Fortpflanzung.

Es gibt keine Erkenntnisse darüber, dass sich daran etwas verändert hätte; und trotz der beschriebenen uneinheitlichen Verhaltensweisen konnte die so genannte sexuelle Revolution wenig daran ändern, dass Frauen in körperlicher Hinsicht weit zurückhaltender sind als die Mediengesellschaft es uns weismachen will. Überall wird uns eine entfesselte Sexualität vorgegaukelt, in den Printmedien wie auch im Fernsehen. Wir nehmen es mittlerweile hin, dass wir keinen Tankstellenkiosk mehr betreten können, ohne dass uns barbusige Mädchen von den Titelblättern anlächeln, wir regen uns auch nicht mehr darüber auf, dass sich in den Privatsendern nächtelang entblößte Frauen räkeln, um für Telefonsex zu werben. Seit körperliche Liebe zu einer Ware degradiert worden ist, wird sie nicht nur angepriesen, sondern sie wird auch zum Konsumgut, das allzeit verfügbar sein soll.

Die ständige Gegenwart von Sexualität in der Werbung und in den elektronischen Medien, die scheinbar wachsende Freizügigkeit des Menschen und sein schwindendes Schamgefühl, das alles wird eher vorgeführt – und nur begrenzt gelebt. Man darf jedoch nicht die gefährlichen Langzeitfolgen der offensiven Sexualisierung verkennen. Hier stehen wir erst am Anfang. Die Reizüberflutung durch die allgegenwärtige Darstellung und Thematisierung der Sexualität findet in diesem extremen Maße erst seit etwa dreißig Jahren statt, mit wachsender Tendenz, dennoch werden die Auswirkungen immer offensichtlicher: So verändert sich unser gesellschaftliches Miteinander, das Ansehen, insbesondere von Frauen, schwindet, sie werden durch die dauernde Zurschaustellung entwürdigt und häufig auf ihre Körperlichkeit reduziert. Viele Frauen reagieren darauf mit einer Verweigerungshaltung – sie wollen keine Objekte sein und lehnen ihre Weiblichkeit und auch ihre Sexualität ab.

Und die Männer? Tief in ihrem Unterbewusstsein ist die Erkenntnis verankert, dass kein Mann sicher sein kann, ob ein Kind auch wirklich von ihm ist, während Frauen nicht daran zweifeln müssen, dass sie Mütter der von ihnen geborenen Kinder sind. Genetische Vaterschaftstests sind eine vergleichsweise junge Errungenschaft, das männliche Sexualverhalten haben sie jedoch (bislang) nicht verändern können. Die Angst vor »Kuckuckseiern« und der unbewusste Neid darauf, dass Frauen sich so sicher darüber sein können, wirklich ihr eigenes Kind aufzuziehen, führte im Laufe der Geschichte immer wieder zu Eifersucht und extremen Kontrollversuchen. Das erklärt auch, warum es früher eine ungeheure Wertschätzung der Jungfräulichkeit gab und dass sie in einigen traditionell geprägten Kulturen immer noch als hohes Gut gilt, eine Praxis, die oft zu menschenverachtenden Deklassierungen führt.

Die prinzipielle Vaterschaftsunsicherheit prägt darüber hinaus das Verhältnis, das Männer zu Frauen und Kindern haben, und damit auch ihre Bindungsfähigkeit: Sie ist meist schwächer als die weibliche. Vor allem in den ersten drei Jahren ist das Kind in der Regel für den Vater weniger nah als für die Mutter. Der Ausdruck »Rabenmutter« ist uns geläufig; dass der Begriff »Rabenvater« in unserem Wortschatz nicht vorkommt, spricht für sich. Man erwartete bis vor kurzem erst gar nicht, dass Väter sich als Hausmänner und »Vollzeitväter« uneingeschränkt und aufopferungsvoll um ihren Nachwuchs kümmern.

Wenn wir allein die Erfindung der Antibabypille für die deutlichen bis dramatischen Geburtenrückgänge moderner Industriestaaten verantwortlich machen, so haben wir es doch allein mit einem begleitenden Faktor zu tun, nicht mit dem Grund. Zwar sind Kinder planbar geworden und Sexualität kann durchaus Selbstzweck sein, wenn eine Schwangerschaft problemlos verhindert werden kann, doch frei vom

Kinderwunsch sind wir Frauen dadurch noch lange nicht. Denn dann wäre der Kinderwunsch nichts weiter als Ausdruck der Wertschätzung eines »belebten Hauses«, eines »Kinderlachens« oder der Neugier darauf, wie wir uns reproduzieren.

Wenn der Kinderwunsch nur ein Daseinsentwurf unter vielen im Supermarkt der Möglichkeiten wäre, könnten wir nüchtern abwägen und uns genauso gut für ein ganz anderes Leben entscheiden – mit vielen Reisen, Konzert-, Theater- oder Kneipenbesuchen, ein Leben, bei dem Kinder einzig stören würden. Wir müssen anerkennen, dass Kinderwunsch und Kinderliebe nicht völlig von Lust und Liebe, Gefühl und Bindung abgekoppelt werden können. Vielmehr hat die Natur ein Motivationssystem geschaffen, das weit über das punktuelle Lustempfinden der Sexualität hinausgeht und so den Fortbestand des Lebens sichert.

Der Feminismus fraß unsere Kinder

Sieht man sich einschlägige Umfragen an – wie etwa die Shell-Jugendstudie 2002 –, erfährt man, dass Treue für Jugendliche, speziell für Mädchen, immer wieder den Spitzenplatz einnimmt, wenn es um Liebe, Lust und Leidenschaft geht, ganz gleich, wie aufgeklärt, experimentierfreudig oder »amoralisch« sich der Zeitgeist gibt.

»Wer zweimal mit derselben pennt, gehört schon zum Establishment«, dieser Spruch der Studentenbewegung stand einst für den Aufbruch in ein Zeitalter allgemeiner sexueller Mobilmachung. Auch die Frauenbewegung beteiligte sich damals aktiv an der »Befreiung« von Konventionen. Frauen sollten sich einfach nehmen, was sie wollten. Und damit die »freie Liebe« nicht durch Schwangerschaften beeinträchtigt wurde, gehörte die Abschaffung des berüchtigten Abtreibungsparagraphen 218 wie selbstverständlich zum feministischen Programm. Schwangerschaften galten nur noch als eine Komplikation, als ein Störfall, der möglichst schnell behoben werden sollte.

»Mein Bauch gehört mir!« – dieser Satz meinte in den siebziger Jahren beides: Ich kann schlafen, mit wem ich will, und ich darf abtreiben, wenn ich will. Gleich zwei Komponenten wurden damit von der Sexualität getrennt: die Fortpflanzung und die Gefühle. Denn ungehemmter Sex mit häufig wechselnden Partnern setzt ja nicht zwingend voraus, dass man sich jedes Mal verliebt, wenn man mit jemandem schläft. Spaß haben, cool bleiben, so sah der idealtypische Sex dieser Zeit aus. Und diese tendenzielle Abwertung der emotionalen Ebene wirkt bis heute nach.

Dabei kommt mir eine Szene aus dem Film *Die fabelhaften Baker Boys* in den Sinn. Eine Nachtclubsängerin und ihr Pianist verlieben sich ineinander, nach einem feuchtfröhlichen Abend landen sie im Bett. Am nächsten Morgen will er sich schnell davonschleichen, doch sie ist schon wach und beobachtet, wie er in Windeseile in seine Hose steigt. Ihre wahren Gefühle kann sie nicht zeigen – aus Angst, sich emotional die Blöße zu geben. Deshalb sagt sie lässig: »Hey, keine Angst, ich habe nicht erwartet, dass du gleich das Aufgebot bestellst.« Und doch ist spürbar, dass es viel mehr war als eine leidenschaftliche Nacht, dass es möglicherweise sogar der Mann ihres Lebens hätte sein können.

Das ist nur eine Filmszene, doch sie erscheint mir symptomatisch. Es gibt viele Frauen, die ihre Sexualität ausgesprochen nüchtern zu betrachten versuchen, weil es der Zeitgeist so will. Im Klartext bedeutet das: In dem Moment, in dem Sex eine Sache wurde, die man sich nach Lust und Laune gönnte, mussten alle Wünsche nach Bindung und auch nach Fortpflanzung in den Hintergrund treten. »Bloß nicht klammern, sonst nimmt er Reißaus!«, solche Ratschläge hören verliebte Frauen von wohlmeinenden Freundinnen noch heute nach der ersten Liebesnacht. »Ruf ihn bloß nicht am Morgen danach an. Sonst wirst du uninteressant für ihn!«

Unzählige Bücher – etwa augenzwinkernde Ratgeber oder humorvolle Romane – geben Empfehlungen, wie eine Frau sich am besten in derartigen Lebenssituationen verhält, ohne in eine Krise zu geraten, weil man sich am Ende ernstlich verlieben könnte. Das darf im Grunde nicht sein, und es gibt immer ein Mittelchen, wie man »ihn« noch möglichst lange zappeln lassen kann, ohne selber seelischen Schaden durch einseitige Aufopferung zu nehmen. Solch verzweifeltes Taktieren ist die Kehrseite der »freien Liebe«, die einst verkündet wurde. Niemand sollte sich mehr einmischen, moralische Instanzen wurden entwertet, alles andere erschien nur noch als spießig.

Eine ganz besonders kuriose Blüte trieb der Feminismus. In ihrem Buch *Der »kleine Unterschied« und seine großen Folgen* erklärte Alice Schwarzer allen Ernstes, dass man auf den konventionellen Geschlechtsverkehr besser ganz verzichten solle. Denn er bedeute eine »Unterwerfung der Frau und die Machtausübung des Mannes«. Und mehr noch: Geschlechtsverkehr sei ohnehin unsinnig, da die Frau unfähig zum »vaginalen Orgasmus« sei und lediglich durch Stimulation der Klitoris Lust empfinden könne.

Unglaublich? Leider nicht. Fortan sprach Schwarzer voller Abneigung von »Penetration«, wenn es um die körperliche Liebe zwischen Mann und Frau ging, denn sie sei ein »gewaltsamer Akt« und der Phallus eine Waffe. Körperliche und damit verbunden vielleicht ja auch seelische Liebe mit einem Mann wurde also letztlich in Bausch und Bogen mit Vergewaltigung gleichgesetzt. Als Kronzeugen ihrer merkwürdigen Theorie nannte Schwarzer den mittlerweile stark ins Zwielicht geratenen amerikanischen Sexualforscher Alfred Charles Kinsey, ein Zoologe, der im Amerika der vierziger Jahre erstmals Daten zur Sexualität sammelte und in seinem berühmten *Kinsey-Report* veröffentlichte. Kritiker werfen ihm heute nicht nur Datenmanipulation vor, sondern fragwürdige Sexexperimente, denn manche seiner Thesen beruhten offenbar auf pädophilen Praktiken sowie Gruppensex und sadomasochistischen Spielen mit Studenten. Vor allem aber betrachtete er das sexuelle Geschehen völlig losgelöst von der emotionalen Ebene.

Kinseys Behauptung, der vaginale Orgasmus sei ein bloßer Mythos, wurde in den sechziger Jahren von den amerikanischen Forschern William Masters und Virginia Johnson in Laborversuchen widerlegt: Sie wiesen den weiblichen Orgasmus während des Koitus nach, ohne weitere Stimulation der Klitoris. Schwarzer aber blieb dabei: Geschlechtsverkehr sei entwürdigend für Frauen und bereite keine Lust.

Eine abwegige Feststellung, abgesehen davon, dass es selbstverständlich Orgasmusstörungen gibt, die man ernst nehmen muss und die in ärztliche Behandlung gehören.

Überhaupt nicht amüsant sind die Folgen der Schwarzer-These. Sie wurde zum Kernpunkt einer Feminismusdebatte, in der nun auch das Bett zur Kampfzone geriet und der natürliche Geschlechtsverkehr diffamiert wurde. Abgesehen davon, dass dieser Akt für viele Menschen tatsächlich mit Gefühlen wie Liebe und Hingabe verbunden ist, wird ohne die »Penetration« wohl kaum ein Kind gezeugt werden.

Also hieß es nun: »Freie Liebe ohne Kinder, Sex ohne Geschlechtsverkehr!« Es dauerte beachtlich lange, bis der Unmut über Schwarzers Ansichten laut wurde. »Gefühlloser Unsinn«, befand die Hamburger Autorin Bettina Röhl 2005 in einem Artikel über »Die Sexmythen des Feminismus«. Offenbar, mutmaßt Röhl, sei Alice Schwarzer »das Naturereignis Sex, das man nicht wirklich an- und abschalten kann, das einen mit Macht überkommt und eine Kraft ungeheurer Anziehung zwischen Mann und Frau bedeutet, persönlich nicht bekannt«.

Der gezähmte Mann und die verlorene Weiblichkeit

Die Feministinnen setzten alles daran, den Mann zu dämonisieren. Sex wurde als Bedrohung gesehen, und höchstes Ziel war die »Zähmung« der »bösen« Männer. Oder gleich ihre Abschaffung. Immer wieder mischten sich die Frauenrechtlerinnen hartnäckig in den intimsten Bereich der Frauen ein, Gesten, Berührungen, jeder Blick des Mannes wurde als sexistische Demütigung gebrandmarkt.

Im Umkehrschluss waren nun alle weiblichen Signale verpönt. »Burn your bra!« (»Verbrenne deinen BH!«), lautete einer der ersten feministischen Schlachtrufe in den USA. In Parks und auf dem Campus von Universitäten verbrannten junge Frauen ihre Büstenhalter auf lodernden Scheiterhaufen. Reizwäsche wurde ebenso als Aufforderung für männliche Unterdrückung angesehen wie hochhackige Schuhe, feminine Kleidung oder geschminkte Lippen.

Das gesamte weibliche Erscheinungsbild sollte verschwinden, die Folge war der Siegeszug des so genannten Unisex-Look. Frauen, speziell in Deutschland, kleiden sich noch heute vielfach geschlechtsneutral, sie tragen Hosen, Anzüge, flache Schuhe. Das uralte Spiel zwischen Mann und Frau ging dadurch mehr und mehr verloren. Und in Vergessenheit gerieten neben den Äußerlichkeiten zunehmend auch die inneren Qualitäten, weibliche Tugenden, die Ausgleich, Vermittlung und Friedfertigkeit in die Welt bringen und einen Gegenpol zum männlichen Prinzip von Kampf und Krieg darstellen. Wir brauchen diese weiblichen Fähigkeiten dringender denn je; sie im Namen des Feminismus zu verdrängen und Frauen zu vermännlichten »Soldaten« zu machen, gehört zu den großen Irrtümern des feministischen Zeitgeistes. Die Latzhose war nicht zufällig einst die Uniform des Feminismus. Damit betonten Frauen: »Ich will auf keinen Fall als Frau gesehen werden.«

Doch ob mit oder ohne »Penetration«: Die vermeintlich »freie Liebe« führte rasch zu einer Katerstimmung, die seelischen Verletzungen durch permanente Untreue waren irgendwann nicht mehr zu übersehen. Das Experimentieren mit Sex als Selbsterfahrung ging schnell in eine Phase der Ernüchterung über.

Auch die Enttabuisierung der Abtreibung hatte Spätfolgen. Im Sommer 1971 erschien ein *Stern*-Titel mit dreißig abgebildeten Frauen, die zugaben: »Wir haben abgetrieben!« Darunter waren so prominente Frauen wie Senta Berger, Romy Schneider und Sabine Sinjen. Vierunddreißig Jahre später befragte das Magazin *Cicero* einige dieser Frauen, wie sie die Aktion aus heutiger Sicht sehen. Fast alle reagierten nachdenklich, viele hatten noch Schuldgefühle, werteten die Abtreibung im Nachhinein als »schreckliches Erlebnis«.

Solche Gefühle passten lange nicht ins Bild. Alles zielte darauf ab, den Frauen Empfindungen auszureden, weder sollte Sex an Liebe gebunden sein noch durfte das Gefühl für das ungeborene Leben Raum erhalten. Heute wissen Frauen, dass häufig wechselnde Sexpartner eine Weile aufregend sein mögen, dass sie aber auf Dauer nicht glücklich machen können.

Die Legende vom stillen Gebärstreik

Aktuelle Untersuchungen bestätigen, dass die niedrige Geburtenrate nicht Ausdruck eines nachlassenden Kinderwunsches ist. Eine Allensbach-Umfrage aus dem Jahr 2004 zeigt, dass die Sehnsucht nach einem Baby bei Frauen mit über 90 Prozent auch heute ungebrochen ist. Und keinesfalls sind die Frauen in Deutschland in einen »stillen Gebärstreik« getreten. Diese unsinnige Behauptung stellen die altvorderen Frauenrechtlerinnen regelmäßig auf – und liegen damit jedes Mal wieder völlig falsch, auch wenn die Medien ihnen nur allzu gern beispringen.

Allein schon der Begriff »stiller Gebärstreik« zeichnet ein schiefes Bild: Er suggeriert, dass Frauen Angestellte ihres

Mannes seien und nun die Männer bestreiken sollten, nach der Logik: Frauenrecht bedeutet das Recht, nicht Mutter zu werden. Aber sind Männer wirklich despotische Arbeitgeber, die Frauen mittels Kindern in die Knie zwingen wollen?

Die Argumente in dieser Debatte sind so windig wie die Thesen. Sicherlich ist es richtig, gegen Gewalt und Unterdrückung von Frauen in der Ehe zu protestieren sowie gegen sexuellen Missbrauch. Aber einmal mehr wird hier der gewalttätige Extremfall zum allgemeingültigen Fallbeispiel gemacht: Sexualität wurde für die Feministinnen gleichbedeutend für männliche Herrschaft und Kontrolle. Millionen Frauen folgten blind der feministischen Ansicht, dass schon der Geschlechtsakt an sich Tyrannei und Gewalttätigkeit sei und dass Kinder nur als Mittel zum Zweck einer umfassenden Versklavung der Frau dienten.

Heute sehen wir eine andere Versklavung von Frauen. Sie werden zur Arbeit angetrieben, sie sollen Geld verdienen, und Kinder sind bei diesem Arbeitsgebot nur noch hinderlich. Das hat schon eine gewisse Perfidie, dass diese Einstellung mit der Erklärung gerechtfertigt wird, Frauen würden durch das selbst verdiente Geld unabhängiger. In Wahrheit werden sie unfrei, ihren Kinderwunsch zu formulieren.

Die schon erwähnte Allensbach-Studie hat auch gezeigt, dass die Aussichten, den Kinderwunsch in die Tat umzusetzen, immer geringer werden. Von den befragten Männern und Frauen im Zeugungsalter wünschten sich nur 57 Prozent eine Familie mit zwei Kindern. Weiterhin wurden 1000 Mütter und Väter mit einem Kind interviewt, warum sie auf ein zweites verzichtet hätten. 68 Prozent davon gaben finanzielle Gründe an, 43 Prozent verwiesen auf berufliche Nachteile. Allein wenige sagten aus, dass sie durch ein weiteres Kind ihren individuellen Lebensstil einschränken müssten.

Finanzielle und berufliche Zwänge sind also ganz offensichtlich die Hauptgründe für immer weniger Nachkommen. Jeder, dem das Glück eines oder mehrerer Kinder beschieden ist, weiß natürlich, wie teuer dieser Spaß werden kann. Gelegentlich werden Kinder deshalb schon mal als Armutsrisiko bezeichnet. Das Aufziehen eines Kindes kostet Eltern in der Bundesrepublik heute, grob geschätzt, genauso viel wie ein Haus. Untersuchungen gehen heute von 250 000 Euro aus, wovon drei Viertel von den Eltern und ein Viertel vom Staat aufgebracht werden.

Allein diese Zahl macht uns deutlich, welcher Konflikt sich eigentlich abzeichnet. Selbst doppelt verdienende Familien mit mittlerem Einkommen können sich keinen »Kinderreichtum« leisten, es sei denn, sie würden auf gängige Vorstellungen des Lebensstandards verzichten, auf ein neues Auto, auf Urlaub, eine große Wohnung.

Trotzdem: Die große Mehrheit aller Frauen in unserem Land lebt mit einem tiefen Kinderwunsch, und die meisten kinderlosen Frauen empfinden die Tatsache, ihr weiteres Leben ohne Nachwuchs zu verbringen, als eher traurig.

Zerstörung der Familie

Sicher ist: Die Ehe wird nicht mehr automatisch mit Kindern verbunden. Und selbst die Mutterschaft ist nicht mehr selbstredend an eine feste Partnerschaft geknüpft. In ihrer Hilflosigkeit beschließen immer mehr Frauen, Kinder zu bekommen, ohne einen Ehemann oder eine längerfristige Bindung zu haben. Ein zukunftsfähiges Modell? Wohl kaum. Auch wenn die Prägung durch den Fortpflanzungswunsch einen hohen Variantenreichtum von Familienstrukturen in unterschiedlichen Kulturen erzeugt hat. Während sich in unserer westlichen Gesellschaft die Einehe durchgesetzt hat, sind uns aus anderen Völkern auch die Vielehe (Polygamie), die Vielweiberei (Polygynie) oder auch die Vielmännerei (Polyandrie) bekannt. Der Grund ist immer der gleiche: ideale Bedingungen für möglichst viele Nachkommen zu schaffen und die Frauen zu versorgen.

Nicht alles, was uns dabei primitiv oder rückständig erscheint, ist es auch. Obwohl uns beispielsweise die Lebensform des orientalischen Harems tief befremdet, weil wir ihr von vornherein die Unterdrückung und Entwürdigung der Frau unterstellen, kann man auch etwas ganz anderes daran ablesen: Vielfach diente sie der Absicherung von Frauen und Kindern in armen Regionen. Es war ein System der Großfamilie, in der das männliche Familienoberhaupt zwar absolute Verfügungsgewalt hatte, gleichzeitig aber auch die existenzielle Verantwortung für seine Frauen und Kinder übernahm. Ein Versorgungssystem also, das nur entsprechend wohlhabenden Männern vorbehalten war. Als eine tunesische Regisseurin vor einigen Jahren einen Spielfilm mit dem Titel *Harem* drehte und genau diese These anschaulich bebilderte, entbrannte sofort ein Streit, der die Feministinnen auf den Plan rief. Differenzierungen solcher Art waren eben nicht erwünscht.

Jede Gesellschaftsform entwickelt Modelle, die sich den lebensnotwendigen Verhältnissen und den wirtschaftlichen

Möglichkeiten anpassen, um die Fortpflanzung zu sichern. Es spricht wenig dafür, dass sich diese Strategie der Natur beim Menschen der Gegenwart plötzlich verflüchtigt hätte. Die Forderung, dass wir heute völlig frei und losgelöst von unseren biologischen Grundlagen leben sollten, ist mehr als absurd. Wir mögen sie mit dem Verstand ablehnen, einengend finden, uns dagegen auflehnen – wirksam bleiben sie dennoch. Wie sollte sich beim Menschen die Evolution gleichsam selbst überlistet haben?

Aus dem einstigen Tabu, keine Kinder zu wollen, ist heute häufig das Tabu geworden, zum uneingeschränkten Kinderwunsch zu stehen. Kinderreiche Familien müssen sich Sätze gefallen lassen wie »Haben die denn keine anderen Hobbys?« oder: »Die vermehren sich ja wie die Kaninchen!« Sex mit darauf folgender Schwangerschaft? Wie rückständig, wie altmodisch! Genauso, als wäre das jetzt unsere wahre Natur.

Dabei geht mehr verloren als der Nachwuchs. Intensive Gefühle beispielsweise, die dafür sorgen, dass man sich innerhalb der Familie aufeinander verlassen kann, auch Gefühle wie Liebe, Treue, Solidarität und Loyalität. Übrig geblieben ist lediglich eine rasch wechselnde Empfindungswelt, die unverbindlich bleibt. Sie kennt weder Dauer noch Verpflichtung oder Verantwortung. Als Basis zur Gründung einer Familie reicht sie nicht aus.

Und so laufen alle derzeit herrschenden Vorstellungen darauf hinaus, das Elternwerden unter den vielfältigsten Vorwänden hinauszuschieben. Man vertagt es aus Furcht vor Lasten und Mühen, ohne zu bemerken, dass gerade Kinder oft jene Kraft schenken, die die Unannehmlichkeiten überwinden hilft. Wir gewähren den Kindern nicht die Zeit, auf die Welt zu kommen. Wir sind abgelenkt durch uns, unser Tun, durch Pläne, Eile und manchmal auch Zerstreuungen. Ein Kind, das zur Entfaltung eines Paares beitragen kann, wird vertagt. Dabei kann man häufig beobachten, dass erst mit einem Kind positive Eigenschaften zum Vorschein kommen, die vorher ungenutzt schlummerten. Frauen verlieren oft ihre Ichbezogenheit, sind bereit, vorbehaltlos zu lieben, wenn sie ihr Baby im Arm halten, Männer spüren eine nie gekannte Verantwortungsbereitschaft und Nachgiebigkeit.

Doch so, wie viele zögern, Eltern zu werden, zögern noch mehr, überhaupt eine Ehe einzugehen. Häufig heiraten Paare nach vielen Jahren des Zusammenlebens und trennen sich dann kurz danach wieder. Warum? Vielleicht, weil die Heirat nicht zum richtigen Zeitpunkt stattfand, weil sie zu lange verschoben wurde. Unsere Vernunft rät uns zur Skepsis, unser Verstand zeigt uns lauter Risiken auf. Das kann verhängnisvoll sein, weil uns unsere Unentschlossenheit stetig verunsichert und wir irgendwann gar nicht mehr fähig sind, lebensbejahende Entscheidungen zu treffen. Möglicherweise gilt für die vertagte Ehe und das vertagte Kind, was auch für die Lernprozesse in der Kindheit zutrifft, nämlich, dass alles zu seiner Zeit zu geschehen hat. Wenn ein Kind nicht in dem entsprechenden Entwicklungsabschnitt zu laufen, zu sprechen und zu schreiben gelernt hat, wird es später außergewöhnliche Probleme bekommen, dies nachzuholen.

Lange Zeit spiegelten Werbung, Kinofilme und TV-Seifenopern das Bild einer kinder- und familienlosen Gesellschaft wider. So stellte der Pariser Wirtschaftswissenschaftler Gérard-François Dumont vor knapp zehn Jahren fest, dass im wesentlich familienfreundlicheren Frankreich in der Print- und Fernsehwerbung Familien und Kinder einzig statistische Randerscheinungen waren. Eine vollständige Familie kam nur in 0,47 Prozent der Zeitungs-, in 0,45 Prozent der Plakat- und in 3,84 Prozent der Fernsehwerbung vor. Dass diese medialen Leitbilder ein gesellschaftliches Klima erzeugten, in dem die Gründung einer Familie nahezu als exotische Ausnahme erschien, dürfte jedem klar sein.

Heute sehen wir wieder mehr Kinder auf den Bildschirmen, doch eine familiäre Normalität wird uns nicht gezeigt. Die Heldinnen unserer Tage sind meist kinderlos, etwa die TV-Kommissarinnen, Familien werden oft mit ihren Problemen dargestellt, nicht in Harmonie. Und all die Kleinen, die in Werbespots Jogurt essen oder in Familienkutschen posieren, sind keine realen Kinder, sondern allzeit niedliches und lachendes Beiwerk.

Trostlos sieht unser Blick in die Zukunft aus, wenn wir den Prophezeiungen der Zukunftsforscher Glauben schenken. Sexualität könnte ihrer Ansicht nach zum reinen Freizeitvergnügen werden, während die Zeugung eines Kindes im Reagenzglas stattfindet. Auf der einen Seite also Sex nach Feinschmeckerart, auf der anderen die künstliche Vervollkommnung der Gene, möglichst eine Kombination aus Albert-Einstein-Spermien und einem Pam-Anderson-Ovulum.

Alles geplant, inszeniert, vom Perfektionswahn bestimmt. Das Kind wird zum Konzept, das man möglichst erfolgreich gestaltet – und natürlich so früh wie möglich an »qualifiziertes« Personal abgibt. Es wäre ein Verhalten, das konsequent die Konsumhaltung weiterführt, die viele unserer Lebensbereiche prägt: bei Nichtgefallen Umtausch möglich. Was die Beziehungen betrifft, so stören sie dann nur, denn man möchte genießen, nicht geben. Man stellt die Frage nach der Qualität des Augenblicks, nicht nach der Bindung.

Wir leben in einer Zeit der Scheinwelten. Viele verbringen Nächte in Chatrooms, vermeiden aber den direkten Kontakt. Die Angst vor der Nähe, die Angst vor der Verantwortung ist groß. Also ist Distanz eine nahe liegende Reaktion. Einen Chatpartner kann man anklicken und wegklicken, eine reale Person nicht. Das wäre dann der Sieg eines mechanistischen Weltbildes, in dem wir uns Gefühle und Sexualität »leisten«, wenn uns gerade danach ist – und wieder ausknipsen, wenn wir unsere Ruhe wollen. Unsere einsame Ruhe.

An dieser Stelle fällt mir der Satz eines deutschen Schriftstellers ein, der in der ersten Hälfte des vergangenen Jahrhunderts lebte: »Eine Kröte, die vor einem hohen Felsen steht und ihm befehlen will, vor ihrem Schritt zu weichen, wirkt noch nicht so lächerlich wie der heutige Mensch im Größenwahne seinem Schöpfer gegenüber.«

Der Satz bringt unsere Selbstüberschätzung auf den Punkt. Wir sind weder allwissend noch können wir uns über alles hinwegsetzen, was uns als Menschen ausmacht. Daher sollten wir uns besser mit dem männlichen und weiblichen Prinzip auseinandersetzen, statt es zu verdrängen. Und alles dafür tun, dass Frauen sich zu ihrem Kinderwunsch bekennen dürfen, dass sie Kinder wieder wollen dürfen und es auch können.

Wenn sie denn noch Gelegenheit dazu haben. Camille Paglia, eine amerikanische Kulturhistorikerin, die sich immer wieder kritisch mit dem Feminismus auseinandersetzte, sagte einmal spöttisch: »Die Sexualität den Feministinnen zu überlassen ist, als ob man seinen Hund während des Urlaubs einem Tierpräparator anvertraut.« Mit anderen Worten: Die Sexualität wurde gerade von der Frauenbewegung zerredet, sie wurde in Theorien zerlegt, es wurde gekämpft und therapiert, bis der alte Spruch zutraf: Operation gelungen, Patient tot.

Es liegt an uns Frauen, uns aus dieser Sackgasse zu befreien. Lassen wir wieder Weiblichkeit zu, Schamgefühl und Intimität, und natürlich Kinderwünsche; geben wir uns nicht länger zufrieden mit der Vereinnahmung der Sexualität durch Theoretiker, die uns jeden natürlichen Zugang zum tiefsten Geheimnis der Natur verwehren wollen. Bekennen wir uns zum Frausein, zum Eva-Prinzip. Und wir sollten auch nicht länger Beziehungen akzeptieren, in denen Männer der puren Bequemlichkeit und Verantwortungslosigkeit wegen unseren Kinderwunsch unterdrücken. Noch immer haben Frauen Angst, ihren Partner zu verlieren, wenn sie auf Kindern bestehen. So wie Heike. So wie Millionen andere Frauen. Also verhüten sie – und leiden.

Heike hat sich übrigens kurz nach unserem Gespräch von ihrem Mann getrennt. Und sie hat sich wieder verliebt. Diesmal ist es ein Mann, der von einer Familie träumt. Von Kindern. Und von Enkelkindern.

6
Die Machtansprüche des Feminismus – warum wir unsere Weiblichkeit verdrängen

Neulich hörte ich in einem Interview einen Satz, den ich mir spontan notierte: »Die Geschichte der Frauenbewegung kann man auch als Entwertungsgeschichte schreiben, in der Frauen die spezifische Identität ihres Geschlechts verloren haben.«

Kluge Worte. Denn sie bringen auf den Punkt, was schon seit langem offensichtlich wird: dass der Feminismus das Frausein so lange diskutiert und kritisiert hat, bis nichts mehr davon übrig blieb. Wir Frauen sind entwertet worden und haben selber maßgeblich dazu beigetragen. Wir haben zugelassen, dass uns jene Werte genommen wurden, die uns als weibliche Wesen leiten können, die uns helfen, unsere weibliche Rolle zu finden und zu leben.

Gesagt hatte den Satz Katharina Rutschky, Jahrgang 1941, eine Publizistin, die mit ihrer Kritik an der Frauenbewegung immer wieder bei ihren feministischen Schwestern aneckt und regelmäßig Drohbriefe bekommt. Einmal mehr sah ich die Bestätigung dafür, dass die Frauenbewegung nicht nur gegen Männer kämpft, sondern auch gegen Frauen. Gegen jene nämlich, die es wagen, eine andere Meinung zu haben. Feminismus ist letztlich nichts anderes als eine Form von Fundamentalismus, dachte ich, rette sich, wer kann! Denn der Begriff Fundamentalismus bezeichnet eine religiöse oder weltanschauliche Strömung, die in sich starr bleibt und nicht diskutiert werden darf.

Als ich dann kurze Zeit später auch noch auf die »Bibel der Frauenbewegung« aufmerksam wurde, *Das andere Geschlecht* von Simone de Beauvoir, vervollständigte sich das Bild: Die Frauenbewegung scheint eine Art Religionsersatz zu sein.

Simone de Beauvoirs Buch erschien 1949. Darin formulierte sie ihren Kerngedanken: »Man kommt nicht als Frau zur Welt, man wird dazu gemacht.« Was war das für eine Autorin, die so etwas schrieb? Warum lehnte sie ihr Frausein so heftig ab? Ihre Biographie erklärt einiges. Als Tochter aus einem bildungsbürgerlichen Haus wuchs sie auf; als sie zwölf war, ereignete sich dann ein Schlüsselerlebnis. Ihr Vater, den sie wegen seiner Belesenheit und Klugheit bewunderte, sah sie an und sagte: »Wie hässlich du bist!« Es war ein Schock. Ausgerechnet zu Beginn der Pubertät, in einer Lebensphase, in der ein Mädchen zur Frau wird, fühlte sie sich in ihrem Frausein herabgesetzt und gedemütigt.

Auf der Stelle änderte sie radikal ihr ganzes Leben. Sie achtete bewusst nicht mehr auf ihr Äußeres und beschloss, sich nur noch mit Geist und Intellekt zu beweisen. Nahezu besessen lernte sie, paukte sogar während des Essens Vokabeln. Sie wollte nicht mehr als Frau gesehen werden, sondern ausschließlich auf dem Feld der Männer anerkannt sein. Das bedeutete für sie: Philosophiestudium, Berufstätigkeit, Ablehnung der Ehe, Kinderlosigkeit. Alle weiblichen Signale vermied sie. Ihr Haar flocht sie zu Zöpfen, steckte sie am Kopf fest und zog einen Turban darüber. Einzig am Wochenende soll sie die Zöpfe gelöst und das Haar gekämmt haben.

Als sie sich in den Philosophen Jean-Paul Sartre verliebte, stand für sie sofort fest, dass sie auf keinen Fall heiraten wollte. Als er ihr dennoch einen Antrag machte, schrieb sie ihm, die Ehe sei »eine beschränkende Verbürgerlichung und institutionalisierte Einmischung des Staates in Privatangelegenheiten«. Die beiden schlossen einen Pakt, der vorsah, dass sie zwar ein Paar sein wollten, doch ohne körperliche Treue, ohne gemeinsame Wohnung, ohne Verpflichtungen. Sie lebten stets getrennt, meist in Hotels, nie kochte sie für ihn, stets aßen sie in Restaurants.

Sicher, das wirkte damals unerhört modern und mutig. Doch mal ehrlich: Man ahnt, dass so etwas nicht ohne Dramen, ohne Eifersucht, ohne Verletzungen ablaufen kann. Zeitweise lebten Simone und Jean-Paul in einer Beziehung mit zwei jungen Frauen und einem jungen Mann, beide hatten sie zahllose Affären. Sartres Frauenbedarf war ohnehin immer hoch gewesen, Simone versuchte es mit Frauenliebe. Es erscheint wie ein Experiment mit der eigenen Seele.

Jeder Mensch hat das Recht, sich zu irren, keine Frage. Doch ausgerechnet die Beauvoir wurde zur Ikone der Frauenbewegung. Sie galt als Vorbild und war Urheberin einer ganzen Reihe von Ideen, die sich in den Köpfen und Herzen der Frauen festsetzten, Ideen, die mir aus meiner heutigen Sicht wie Gift erscheinen.

Als Erstes formulierte die Französin eine Kriegserklärung. Da Männer Frauen unterjochen, so Simone de Beauvoirs Argument, sei es mit dem Frieden vorbei: »Jede Unterdrückung schafft einen Kriegszustand.« Das Frausein urteilte sie ab: »Die Auseinandersetzung wird so lange dauern, als Mann und Frau sich nicht als ihresgleichen anerkennen, das heißt, solange sich das Frausein als solches festsetzt.« Zur Ehe befand sie: »Heiraten ist eine Pflicht, einen Liebhaber nehmen, ein Luxus.« Und natürlich war die Berufstätigkeit der Frau für sie der einzige Weg, sich des ungeliebten Frauseins zu entledigen: »Wenn die Mutter mit derselben Berechtigung wie der Vater die materielle und moralische Verantwortung für das Paar übernähme, würde sie dasselbe bleibende Ansehen genießen.« Über Mutterschaft äußerte sie sich dementsprechend negativ: »Die Mutterschaft ist schließlich immer noch die geschickteste Art, Frauen zu Sklavinnen zu machen.«

Man kann kaum ermessen, was diese Sätze anrichteten. Und wie wirkmächtig sie bis heute sind. Die Verunsicherung sitzt immer noch tief, Ängste wurden geschürt, Feindbilder entworfen, und das Ganze mündete in ein Lebensmodell, das Frauen zu einsamen Amazonen machte. Ohne Bindung, ohne Familie, ohne Kinder. Immer kampfbereit, selbst dann noch, wenn sie sich verliebten. Es sind Sätze, die Deutschlands führende Feministin Alice Schwarzer fortan in ihren Büchern aufgriff und variierte.

Selten oder nie wagte eine Frauenkämpferin die Frage zu stellen, ob all das denn glücklich mache, ob es sich bei diesen Annahmen nicht um Irrtümer und Einbahnstraßen handeln könnte. Und so wurde buchstäblich das Kind mit dem Bade ausgeschüttet – wo war da noch Platz für Kinder, und nicht zuletzt für Männer?

Die Geschichte des Feminismus begann übrigens weit vor der Arbeit Simone de Beauvoirs und hatte durchaus viel Gutes zur Folge. Immer wieder gab es Strömungen, die sich schließlich Anfang des zwanzigsten Jahrhunderts verdichteten. Aktive Streiterinnen wie Anita Augspurg, Gertrud Bäumer oder Lily Braun traten ihren Weg an und kämpften für mehr Gerechtigkeit für Frauen. Ihren Erfolgen haben wir es zu verdanken, dass den Grundrechten für alle Menschen gleichermaßen Geltung verschafft wurde. So dürfen Frauen in Deutschland seit 1900 studieren, seit 1918 ist es ihnen möglich, das Wahlrecht auszuüben.

Es ist nicht verwunderlich, dass der Zeitgeist der Befreiung aus der Weiblichkeit seinen Ausdruck auch in der Mode fand. Die berühmte Hutmacherin und Modedesignerin Coco Chanel erfand den Anzug und die Krawatte für die Damengarderobe. Sie selbst bevorzugte einen klaren, puristischen Stil ohne Schnörkel und Rüschen, trug Blusen zu Hosen und Krawatten, verzierte diese mit Uniformknöpfen und -bordüren. Es dauerte nicht lange und sie hatte die Alleinherrschaft der Röcke und Kostüme in den Schränken der Frauen beendet.

Politisch, kulturell und gesellschaftlich war also bereits zu Beginn des zwanzigsten Jahrhunderts ein Umbruch in den Geschlechterrollen festzustellen. Diese Entwicklung fand in Deutschland ihr jähes Ende durch die nationalsozialistische Regierung, die für die Frau nur eine Rolle vorsah, die der Mutter. Erst nach dem Krieg setzten die Feministinnen ihre aktive Arbeit, die sie jahrelang nur im Untergrund betrieben hatten, fort.

Aus dem ursprünglichen Ansinnen, allgemeine Menschenrechte für Frauen durchzusetzen, ist inzwischen ein erbitterter, zum Teil auch unwürdiger Geschlechterkampf geworden, der die Fronten zwischen Männern und Frauen verhärten ließ und uns dorthin führte, wo wir jetzt stehen. Wir Frauen haben uns durch dieses Gefecht entwerten lassen, und wir haben selber maßgeblich dazu beigetragen, dass uns jene Werte genommen wurden, die uns helfen, unsere Weiblichkeit zu leben.

Der hohe Preis der Emanzipation

Wie stark diese Thesen der Feministinnen in das Leben vieler Frauen eingriffen, wurde mir bewusst, als ich vor einiger Zeit Birgit traf. Als ich sie kennen lernte, war sie Anfang zwanzig gewesen und ich vielleicht zwölf oder dreizehn. Es war auf der Geburtstagsfeier meiner Freundin Conny, gerade wurden die Kerzen auf der Geburtstagstorte angezündet, als Birgit damals hereingeschneit kam, Connys Cousine aus Frankfurt. Birgit mit der lila Latzhose und den frechen Sprüchen. Feuerrot leuchteten ihre Haare, und statt artig »Guten Tag« zu sagen, warf sie sich breitbeinig auf einen leeren Stuhl und sagte: »Was'n das für eine müde Party hier?«

Wir waren sprachlos. Solche Frauen kannten wir zu dieser Zeit nicht, so etwas gab es einfach nicht in unserem kleinen Ort im Harz. Bücher wie *Brave Mädchen kommen in den Himmel. Böse kommen überall hin* waren noch nicht geschrieben. Wir sahen uns betreten an. So etwas machte man doch nicht, so etwas durfte man doch nicht, oder? Aber im Grunde unseres Herzens fanden wir Birgit unwiderstehlich – und hätten wohl alles darum gegeben, um unsere braven karierten Faltenröcke und unsere weißen Kniestrümpfe gegen ihre ausgebeulte Latzhose einzutauschen, gegen das verwaschene Ringel-T-Shirt und die Gesundheitslatschen, in denen sie trotz des kühlen Wetters barfuß lief. Pippi Langstrumpf war erwachsen geworden! Eine Außerirdische war das! Und zwar eine sehr vergnügte Außerirdische.

Statt Torte zu essen, zündete sich Birgit eine Zigarette an. Der nächste Schock. »Kennt ihr den neuesten Spruch?«, fragte sie uns. »Als Gott den Mann erschuf, übte sie nur.« Es dauerte eine ganze Weile, bis der Groschen fiel. Dann erzählte sie, dass sie gerade auf einer Demo gewesen sei, dass sie ein bisschen studierte und nebenbei in einer Kneipe jobbte. Sie wohne in einer WG, vor allem aber betonte sie, dass sie »emanzipiert« sei. Emanzipiert? Wir hatten nur eine höchst vage Vorstellung, was es damit auf sich haben könnte. Aber Birgit erklärte es uns auch ohne weitere Aufforderung: Die Männer seien alle elende Machos, Frauen müssten ihr Leben selbst in die Hand nehmen, deshalb dürften sie niemals heiraten. Und mit einem Blick auf die Geburtstagstorte: »Oder denkt ihr im Ernst, dass ich studiere, damit ich mich später hinstelle und so eine dämliche Torte backe?«

Das alles ereignete sich Anfang der siebziger Jahre. Was wir nicht ahnten: Weltweit hatte der Feminismus seinen Kampf begonnen. Nicht dort, wo wir lebten, nicht in den Durchschnittsfamilien, sondern an den Universitäten und in der Medienöffentlichkeit. Die Gesellschaft war im Aufbruch. Speziell in Deutschland trat eine neue Generation an, die sich vom Schatten des Dritten Reichs befreien wollte, die nach neuen Lebensformen und neuen Werten suchte.

Schließlich war die Vätergeneration gescheitert, so sah man es jedenfalls. Hatten die wenigen Väter der Achtundsechziger-Generation, die heil aus dem Krieg heimgekehrt waren, nicht »Hurra« geschrien, als Hitler sein Programm verkündete? Oder geschwiegen? Auch die Mütter taugten scheinbar nicht mehr als Vorbild. Waren sie nicht allesamt sturzspießige Hausfrauen und ergebene Dienerinnen ihres Mannes und ihrer Familien? Hatten sie nicht »dem Führer Kinder geschenkt«, anstatt eigene Bedürfnisse zu entwickeln? War es nicht an der Zeit, etwas Neues auszuprobieren?

Birgit war völlig erfüllt von diesen Ideen. Wer weiß, ob sie die Bücher von Simone de Beauvoir überhaupt gelesen hatte, doch das war gar nicht nötig, denn deren Thesen waren schon Allgemeingut geworden in den Frauengruppen, an denen sie teilnahm. Von nun an war Birgit das Gesprächsthema Nummer eins für uns. Wir waren alle mit der Vorstellung aufgewachsen, dass wir einen guten Schulabschluss machen sollten, vielleicht auch arbeiten, aber dann heiraten und Kinder bekommen würden. Gerade begannen wir, uns für Jungen zu interessieren, wir lasen heimlich *Bravo* und erfuhren, wie man flirtet und was ein »Schmetterlingskuss« ist. Aber offenbar gab es noch andere Möglichkeiten, etwas aus seinem Leben zu machen. Und die klangen höchst verlockend.

Durch einen Zufall traf ich Birgit vor ein paar Jahren wieder. Sie war Journalistin geworden und hatte einen Interviewtermin mit mir vereinbart. Erst als wir uns gegenübersaßen, erkannte ich sie – und sprach sie darauf an. Doch, sie erinnere sich dunkel an den Geburtstag ihrer Cousine Conny, war ihre Antwort. Fast dreißig Jahre waren seitdem vergangen. Birgit war jetzt Mitte fünfzig, ihr Haar war immer noch feuerrot, doch stoppelkurz, sie trug einen grauen Nadelstreifenanzug und Herrenschuhe, von ihrer einstigen Munterkeit und von ihrem Optimismus allerdings war nicht viel übrig geblieben. Sie wirkte müde. Nachdem wir ihre vorbereiteten Fragen abgearbeitet hatten, befragte ich sie. Es interessierte mich, wie es ihr ergangen war.

Zunächst klang alles nach einer Erfolgsgeschichte. Sie hatte ihr Studium mit dem Staatsexamen beendet, eine Weile als Lehrerin gearbeitet, und als ihr das zu langweilig geworden war, hatte sie bei einer Zeitung angefangen. Jetzt war sie als freie Journalistin tätig und hielt sich ganz gut über Wasser, wie sie sagte, auch wenn immer mehr junge Kollegen auf den Markt drängten. »Und sonst?«, fragte ich. Mit großen Augen sah sie mich an. »Was – sonst?« Ihr Ton war gereizt. »Na ja, privat. Hast du einen Mann? Eine Familie?« Sie sah mich mitleidig an. »Nee, das wollte ich doch nie. In den Eheknast hat mich keiner gekriegt.« Sie lächelte stolz.

Auf mein hartnäckiges Nachfragen hin veränderte sich das Bild. Feste Beziehungen hatte sie nie gehabt, nur einmal war sie für ein paar Monate zu einem Mann gezogen, hatte jedoch schnell wieder die Flucht ergriffen. »Es wurde mir zu eng«, erklärte sie. »Schon bald nahm er Pascha-Allüren an. Ich wollte frei sein.« Und plötzlich sagte sie: »Das ist eben der Preis. Ich bin immer wählerischer geworden, und jeder Mann hat doch irgendeine Macke. Ich bin lieber einsam, als dass ich Kompromisse mache. Und wenn mir die Decke auf den Kopf fällt, verreise ich. Nächste Woche fahre ich zu einem Yogakurs auf Kreta.«

Einsamkeit. Das war es. Birgit wirkte einsam. Und ich spürte, dass kein Yogakurs und kein noch so spannendes Berufsleben diese Verlassenheit vertreiben konnte. Bevor wir uns verabschiedeten, fragte sie mich noch nach meinem Privatleben. »Ganz konventionell«, sagte ich. »Mann und Kind, steht ja in jeder Zeitung.« Sie seufzte. »Dich hat es immer in die Ehefalle gezogen, du Ärmste.«

Sie erhielt keine Antwort von mir. Am liebsten hätte ich ihr gesagt, welch ein Irrtum der ewige Kampf gegen die Männer sei, wie schön es sei, sich als Frau zu fühlen, und dass ich überglücklich sei, Mutter zu sein. Doch das wäre eine Provokation gewesen, vielleicht hätte es Birgit sogar traurig gemacht. Sie wirkte verloren, beinahe verstört, einen Lebensmittelpunkt schien sie nicht zu haben. Stattdessen sagte ich nur: »Ich habe das so gewollt.«

»Frauen wie du sind ein Schlag gegen das, was wir erreicht haben!«, brauste Birgit mit einem Mal auf. »Wir sind dafür auf die Straße gegangen, dass ihr jüngeren Frauen es besser habt. Und was macht ihr? Kinder, Küche, Kirche! Ihr verratet die Frauenbewegung!« Unser Abschied war kühl. Leider. Aber ich wusste, dass keine Diskussion und kein Argument Birgits Lebenssituation mehr ändern konnte. Sie hatte sich längst entschieden, und es war eine Straße ohne Wiederkehr.

Ihre Angriffslust machte mich allerdings nachdenklich. »Ihr« und »wir« – was heißt das eigentlich? Warum tat Birgit so, als hätte sie persönlich etwas für mich getan? Warum ließ sie nicht andere Vorstellungen zu? Und was hatte sie in die Waagschale zu werfen? Ihr eigenes Leben? Nicht eine Sekunde hätte ich mit ihr tauschen mögen. Die Bilanz ihres Daseins war eine Wirklichkeit als einsame Frau, die in der Endlosschleife aus Arbeit und Zeitvertreib steckte. Sie hatte ihr

Ziel erreicht, sie hatte alles getan, was Frauen wie Simone de Beauvoir und Alice Schwarzer verkündet hatten. Doch war sie damit glücklich geworden?

Wofür das alles? Was hatte sie sich dauerhaft aufgebaut? Selbst von einer gelungenen Karriere konnte man nicht sprechen, denn sie hatte ja erwähnt, dass mittlerweile jüngere Kollegen die Redaktionen eroberten. Was würde übrig bleiben, wenn sie nicht mehr arbeitete? Wie würde ihr Alter aussehen? Wo waren ihre Mitstreiterinnen von einst, wo war dieses »Wir«?

Frauen gegen Frauen

Das erregte Unterscheiden zwischen einem »Ihr« und einem »Wir« ließ mich nicht los. Mittlerweile scheint mir dieses »Wir« der frauenbewegten Kämpferinnen recht anmaßend. Denn es bezieht sich letztlich auf eine kleine Gruppe, die beansprucht, für alle anderen Frauen Entscheidungen treffen und zwischen richtig und falsch zu unterscheiden zu können. Und es beschleicht mich das Gefühl, dass die Aggressivität, mit der diese kleine Gruppe den Nicht-Feministinnen oder »ganz normalen Frauen« begegnet, aus einer tiefen Lebensenttäuschung gespeist wird.

Das aber würden die selbst ernannten »Emanzen« niemals zugeben. Frauen wie Birgit müssen darauf beharren, alles richtig gemacht zu haben, weil sonst ihre Daseinsberechtigung in sich zusammenbrechen würde. Sie können aus diesem Grund nicht eingestehen, dass die Frauenbewegung Leitbilder geschaffen hat, die weder Frauen noch Männern ein besseres Leben verschaffte, Leitbilder, die die Ehe zerstörten, den Kinderwunsch als falsches Bewusstsein entwerteten und die Familie an den Pranger stellten.

Hier soll kein falsches Bild entstehen: Natürlich gibt es entscheidende Verbesserungen, die uns die so genannte Emanzipation gebracht hat: Befreiung von sexueller Gewalt, von politischer Ungleichbehandlung, von der Missachtung von Frauen, hinzu kommt die Selbstverständlichkeit des Wahlrechts und die einer besseren Ausbildung. Doch sind diese Errungenschaften nicht alle das Ergebnis militanter Feministinnen, sondern zum Teil bereits im Grundgesetz als Menschenrechte verankert. Die Vermischung dieser wichtigen Entwicklungsschritte, inklusive einer Vermännlichung der Frau, einem Konkurrenzverhalten gegenüber den Männern und der Abschaffung von Weiblichkeit und Mütterlichkeit führte uns zu den Missständen, die der Anlass zu diesem Buch waren.

Es gab wütende Proteste von Seiten der Feministinnen, als einige Frauen aus dem Umfeld von Bündnis 90/Die Grünen 1987 das »Müttermanifest« veröffentlichten. Vorausgegangen war ein Kongress, an dem rund 500 Mütter und 200 Kinder teilgenommen hatten, unterzeichnet hatten das Manifest unter anderem Antje Vollmer und Christa Nickels. Das »Müttermanifest« sprach aus, was damals noch wenige zu sagen wagten: dass die Frauenbewegung aus dem »Ghetto der Nicht-Mütter« und dem »Aquarium der Karrierefrauen« komme und dass sie letztlich kinderlose Frauen zum Vorbild erhebe. Das sei nicht nur eine beispiellose Ignoranz gegenüber den Müttern, es sei auch verhängnisvoll für die ganze Gesellschaft. »Das Wissen von Müttern, von den Werten, die sie im Zusammenleben mit ihren Kindern erleben und lernen, fehlt überall im öffentlichen Bewusstsein«, hieß es weiter in dem Manifest. »Die Erfahrung von Schwangerschaft und Geburt, das Erleben des Heranwachsens und Heranreifens junger Menschen unter unserer Obhut gibt Müttern die Chance, den inneren Zusammenhang zwischen Mensch und Natur täglich neu zu spüren.«

Man kann sich vorstellen, was Birgit zu diesem Manifest gesagt hätte, um zu ermessen, wie heftig die Reaktionen der emanzipierten Schwestern waren. Die wetterten denn auch prompt, hier gehe es um die Reaktivierung eines altmodischen Frauenbildes. Dabei trafen viele Äußerungen des Manifests sie sicherlich mitten ins Herz. Denn es wurde auch die Aufwertung der »bunten und lebensfrohen Welt« von Müttern und ihren Kindern gefordert und eine Abwertung der Erwerbsarbeit. Bunt und lebensfroh? Ohne Berufstätigkeit? Das ist sicherlich das Letzte, was Feministinnen mit der Mutterschaft verbinden, in der sie, dank Simone de Beauvoir, die Versklavung der Frau wittern.

So hat denn auch das »Müttermanifest« politisch wenig bewirkt, viel zu wenig. Quer durch die Parteien waren längst Frauen und Männer an der Macht, die das gesamte Repertoire der Frauenbewegung verinnerlicht hatten. Was nützte es da, dass im Manifest beklagt wurde, eine kinderlose Gesellschaft sei dazu verurteilt, »anonym« und »institutionalisiert« zu werden? Selbst als der Verfassungsrechtler Paul Kirchhof in einem *Spiegel*-Interview vom August 2005 sagte, dass »Mütter und nicht Manager und nicht Minister« die Welt humaner machen könnten, verhallte diese Mahnung.

Und noch etwas musste die Feministinnen am »Müttermanifest« stören: der Hinweis auf den Zusammenhang von

Mensch und Natur. Genau das war seit Anbeginn der Frauenbewegung abgelehnt worden. Im Windschatten des Feminismus hatte sich Anfang der siebziger Jahre an den amerikanischen Universitäten ein neuer Forschungszweig etabliert, die Gender Studies. Ihre Ausgangsposition war wiederum eine Variation des sattsam bekannten Satzes von Simone de Beauvoir, dass man nicht als Frau geboren, sondern dazu gemacht werde. Im Sprachgebrauch der Gender Studies hörte sich das jetzt so an: Es gebe zwar biologisch gesehen männlich und weiblich, doch das Geschlecht mit allen seinen Neigungen, Fähigkeiten und Verhaltensweisen sei ausschließlich kulturell erlernt, es sei ein »soziales Geschlecht«. Unter diesem Aspekt wurde nicht nur der gesamte Wissenschaftsbetrieb als männerfixiert abgelehnt, fortan galt die Natur mehr als Schimpfwort denn als Grundlage des Seins.

Wie gesagt: Alle diese Theorien wurden von wenigen Frauen entwickelt, die sich mehr oder weniger in einer Nische der Gesellschaft aufhielten, von dieser aus aber alle Frauen beeinflussen wollten. Teilweise ist ihnen das auch gelungen. Dafür könnte die Tatsache sprechen, dass Akademikerinnen weniger Kinder bekommen als andere Frauen. Dazu gehört auch die Beobachtung, dass die Berufsfeministinnen gemessen an ihrer geringen Zahl immensen politischen Einfluss hatten. Sie handelten nach der Strategie: Erst fordern wir Frauenbeauftragte, dann machen wir den Job. Dies war ein geschlossenes System. Heute gibt es auch an deutschen Universitäten eine große Anzahl von Forschungsstellen und Studienschwerpunkte zum Thema »Gender Studies«. Was geben sie uns? Welche Erkenntnisse werden gewonnen, die den Frauen wirklich zugute kommen? Das sind Tabufragen.

»Ich glaube, die Frauenbewegung als solche existiert überhaupt nicht«, hatte Katharina Rutschky in jenem anfangs zitierten Interview gesagt. »Es gibt nur den Staatsfeminismus auf der einen Seite, also Gleichstellungsbeauftragte, Frauenministerien und Frauenquoten ... Und auf der anderen Seite gibt es die autonome Frauenszene.« Mit anderen Worten: Es habe nie eine Frauenbewegung gegeben, die diesen Namen verdiene, sondern nur einige wenige Frauen, die es schafften, sich clever in Szene zu setzen, mit Büchern, Zeitschriften und Talkshow-Auftritten, mit politischen Ämtern und Posten – und die von dieser Sonderstellung kräftig profitierten. Aber daneben gibt es die namenlosen Opfer wie Birgit, die nahezu gläubig und mit besten Absichten diesen Damen folgten, ohne zu bedenken, dass sie laut und fröhlich auf einen Abgrund zuliefen.

Und, schlimmer noch: Mehr und mehr Frauen sind anzutreffen, die zwar nicht der autonomen Frauenszene angehören, für die der Feminismus aber gesellschaftsfähig geworden ist, ohne dass sie sich als Feministinnen bezeichnen würden. Sie sind die Enkelinnen Simone de Beauvoirs, sie praktizieren einen »Feminismus light«. Tief verinnerlicht haben sie die Kriegserklärungen an die traditionelle Frauenrolle, sind getragen von einem grundsätzlichen Misstrauen gegen die Männer, glauben, sich einzig durch Berufstätigkeit einen Selbstwert geben zu können, und ertragen den Gedanken an Mutterschaft nur, wenn sie sicher sein können, neben dem Kind auch eine Arbeit zu haben. Empfindung und Gespür für die menschlichen Prioritäten sind ihnen abhanden gekommen.

Bringen wir es auf den Punkt: Diesen Frauen hat der Feminismus sehr viel genommen, gegeben aber hat er ihnen nur die Nachahmung der männlichen Rolle. Und wie sieht der Alltag dieser Frauen aus? Sie leben in einer gefährlichen Schizophrenie: Im Beruf müssen sie forsch und fordernd sein, dem Kind gegenüber sollen sie weibliche Muster reaktivieren, und was das Verhältnis zum Mann betrifft, finden sie sich zwischen allen Stühlen wieder. Nichts passt mehr zusammen: Sie erziehen Männer und Söhne zu »Sitzpinklern«, mögen aber andererseits keine Softies. Sie fordern von Männern Hausarbeit, wollen aber trotzdem einen Strauß Rosen zum Hochzeitstag. Sie wissen, dass das Weibliche sie begehrenswert macht, dürfen das aber nicht vorbehaltlos ausleben, weil sie sich sonst zum Püppchen herabgewürdigt fühlen. Fast scheint es so, als sei es nie so schwierig gewesen wie heute, eine Frau zu sein.

Die Konflikte sind vorprogrammiert, seit Alice Schwarzer in ihrem Buch *Der »kleine Unterschied« und seine großen Folgen* die These von der immer und überall unterdrückten und unfreien Frau präsentierte. Sie behauptete, dass Frauen grundsätzlich eine Lebensproblematik hätten. Es sei ein »Stigma«, von der Gesellschaft zur Frau gemacht zu werden, also müsse man sich aller Verhaltensweisen und Eigenschaften entledigen, die eine Frau zur Frau macht.

Niemand störte sich daran, dass Schwarzer für ihr Buch siebzehn Frauen aus ihrem Umfeld interviewt hatte. Siebzehn Frauen, war das repräsentativ? Und wenn diese aus Schwarzers Bekanntenkreis stammten, standen sie dann wirklich stellvertretend für die Mehrheit der Frauen? Selbstverständlich wirkte *Der »kleine Unterschied« und seine großen Folgen* erst einmal authentisch: Lebendige Einzelschicksale, dagegen ist wenig zu sagen. Doch die Authentizität wirkt aus heutiger Sicht inszeniert, und die Schlüsse, die Schwarzer aus den Gesprächen zieht, zeigen, dass die Interviews nicht ohne Kalkül geführt wurden. Vielmehr waren sie Beweise für das, was sie eigentlich sagen wollte.

Im zweiten Teil des Buches stellte Schwarzer die weitere These auf, dass nicht allein die Herrschaft der Männer, sondern auch die Sexualität ein Instrument der Unterdrückung sei. In diesem Zusammenhang verwendete Alice Schwarzer das Wort »Zwangsheterosexualität«. Allen Ernstes versuchte sie zu behaupten, Liebe und Sexualität zwischen Mann und Frau seien nichts weiter als ein kulturell erlernter Zwang. Nur so lasse sich die Männerfixierung und die bereitwillige Unterwerfung der Frau unter den Mann erklären. Und im dritten Teil wurden Berufstätigkeit und Emanzipation nahtlos miteinander verschweißt. Damit hatte sie getreulich die wichtigsten Gedanken von Simone de Beauvoir übernommen und sie mit dem Kolorit ihrer eigenen Erfahrungen lebensecht eingefärbt.

Es gibt durchaus Verdienste, die dem Feminismus unmittelbar zugeschrieben werden können. Dazu gehört die Einrichtung von Frauenhäusern, in die sich misshandelte Ehefrauen mit ihren Kindern flüchten können. Dazu gehört auch die Aufklärung über sexuellen Missbrauch von Mädchen, die sich bei Initiativen wie »Wildwasser e.V.« beraten lassen können. Und ganz bestimmt ist es anerkennenswert, gegen die Klitorisbeschneidung von jungen Frauen in Afrika zu protestieren, eine grausame Verstümmelung, die körperliche und seelische Verletzungen unvorstellbarer Art nach sich ziehen.

Doch alle diese Aktivitäten beziehen sich auf eklatante Missstände. Die zulässige Grenze feministischen Denkens wurde dort überschritten, wo die Normalität als krimineller Zustand behandelt wurde, wo Paarbeziehungen von vornherein als Formen der Unterdrückung betrachtet wurden und Kinder als Fußangel, in der Frauen hängen bleiben. Frausein ist eine Last, eine Knechtschaft, Frauen sind Verlierer, das war die Botschaft. Also sollte man sich vorbehaltlos am Mann orientieren. Ist das die gerühmte Befreiung? Den in Grund und Boden kritisierten Mann zu imitieren? Das Weibliche in sich zu verdrängen und das Männliche herauszukehren?

Die Abwertung der Weiblichkeit

Mit welchem Recht und mit welchen Argumenten eigentlich wurde den Frauen ihre Weiblichkeit ausgeredet?

Nicht nur Kritikern, auch ein paar aufgeweckten Feministinnen selber fiel auf, dass sowohl die Gender Studies als auch die Thesen der Frauenbewegung einen logischen Schönheitsfehler hatten. Einerseits beharrte der »Gleichheitsfeminismus« darauf, Frauen seien wie Männer oder sollten sich an Männern orientieren, andererseits wurde eine »Frauenkultur« gepriesen, die darauf hinauslief, dass Frauen anders denken, anders empfinden, anders handeln und im Grunde die besseren Menschen seien. So titelte der *Stern* 2006: »Frauen – die besseren Chefs. Was Männer von ihnen lernen können.« Geschrieben war der Artikel von einer Frau.

Was will der Feminismus wirklich? Sollen Frauen nun männlicher werden oder sollen sie sich auf ihre weiblichen Stärken besinnen? Auf der einen Seite wurde propagiert, Frauen sollten »Frauennetzwerke« gründen, sich mit weiblicher Intelligenz gegen die Männerwelt verbünden, auf der anderen Seite legte der Feminismus nahe, wie Männer zu handeln.

Eine Lektion haben viele Frauen jedenfalls prompt umgesetzt: Sie haben von den Männern gelernt, wie man angriffslustig mit seiner Umwelt umgeht, wie man kämpft, wie man Ansprüche anmeldet. Alle traditionellen Umgangsweisen waren nun als Ausdruck von Machtverhältnissen definiert, nichts durfte mehr so sein wie zuvor. Ein bisschen wirkte das wie der Protest von Pubertierenden, die gegen die Eltern rebellieren. Statt zu prüfen und abzuwägen, welche Dinge denn möglicherweise erhaltenswert sind, wurde in Bausch und Bogen alles abgewertet, was konventionell wirkte. Das erinnert auch an die Trotzreaktion Simone de Beauvoirs, die aus der Erfahrung des Abgelehntwerdens die Welt ihrer Eltern fortan bekämpfte.

Vollends problematisch wird die Sache, wenn man erfährt, dass Simone de Beauvoir 1971 in Frankreich die öffentliche Erklärung »J'ai avorté« (»Ich habe abgetrieben«) unterschrieb, eine Aktion, die Alice Schwarzer begeistert beklatschte und im selben Jahr in Deutschland kopierte, mit dem schon erwähnten *Stern*-Titel: »Wir haben abgetrieben!« Man kann die fatale Bedeutung des Kampfes für die Legalisierung der Abtreibung gar nicht hoch genug einschätzen, wenn man sich mit dem Feminismus beschäftigt. Denn es ging dabei ja nicht nur um die Straffreiheit des Schwangerschaftsabbruchs, es ging auch darum, ihn als harmlos herunterzuspielen, als sei das nur wie ein Zahnarztbesuch.

Warum gingen die Feministinnen nicht für kostenlose Kondome auf die Straße, wenn sie denn schon kinderlos bleiben wollten? Warum demonstrierten sie nicht für mehr Aufklärung über Schwangerschaftsverhütung? Gerade die Proteste gegen den Paragraphen 218 enthüllen ein zutiefst bedrohliches Moment der Frauenbewegung. Es war nicht nur der überaus feindselige und ablehnende Umgang mit einem ungeborenen Kind, es war auch die wenig einfühlsame Auseinandersetzung mit uns Frauen. Ist das ungeborene Leben nicht ein Teil von uns? Wird bei einer Abtreibung nicht ein Stück von uns zerstört?

Die Diskussion um den Paragraphen 218 schien beendet, als die Abtreibung prinzipiell straffrei zugelassen wurde. Doch so ist es nicht. Heute weiß man aus der »Post-Abortion«-Forschung, die sich mit den Folgen von Abtreibungen beschäftigt, dass ein Schwangerschaftsabbruch in den Biografien der meisten Frauen eine seelische Schädigung hinterlässt. Oft trauern Frauen ein Leben lang um das verlorene Kind, und es ist belegt, dass die meisten Beziehungen danach scheitern. Heute werden in Deutschland täglich etwa 1000 Abtreibungen vorgenommen. Wenige Frauen ahnen, worauf sie sich einlassen, wenn sie das Risiko einer Schwangerschaft mit dem Bewusstsein eingehen, dass man »es« ja »wegmachen« lassen kann. Sie lassen sich blenden von Begriffen wie Selbstbestimmung und Entscheidungsfreiheit, die der Feminismus ihnen bescherte.

Heute ist nicht die Abtreibung ein Politikum, sondern die Erforschung der Folgen. Nur wenige Studien beschäftigen sich mit dem »Post-Abortion-Syndrom« – weil das einfach nicht zum Zeitgeist passt, wie Ingolf Schmid-Tannwald betont, Professor für Frauenheilkunde und Geburtshilfe und langjähriger Leiter der Familienplanungsstelle an der Frauenklinik der Universität München im Klinikum Großhadern. Studien dieser Art seien gesellschaftlich nicht erwünscht, weil die Abtreibung heute als »unbedenkliches Mittel der Geburtenkotrolle gewertet wird«.

Ganz gleich ob man sich weltanschaulich für oder gegen Abtreibung ausspricht, die Konsequenzen für die Frauen sind weitreichend. Schmid-Tannwald nennt schwere Störungen der körperlichen und seelischen Funktionen nach Schwangerschaftsabbrüchen, Störungen, wie sie auch nach körperlicher Gewalteinwirkung und Vergewaltigung beobachtet werden. Neben den medizinischen Risiken wie Infektionen und Verletzungen der Gebärmutter treten später oft eine Fülle von Beschwerden auf, Verwachsungen im Unterleib, Probleme bei späteren Schwangerschaften, Fehlgeburten, sexuelle Störungen, Depressionen, Angstzustände, Medikamenten- und Drogenmissbrauch bis hin zur Gewalt gegen sich selbst. In seiner Praxis hat Schmid-Tannwald Frauen erlebt, die vom Aussehen des abgetriebenen Kindes träumen, die rituell den »Geburtstag begehen«.

Übrigens sind auch Männer betroffen, wenn es um Abtreibungsfolgen geht. Arthur Shostak, Professor für Soziologie an der Drexel University in Philadelphia, veröffentlichte bereits 1984 eine Studie dazu. Er hatte 1000 Männer befragt, deren Frauen oder Freundinnen abgetrieben hatten. Sein Ergebnis: 80 Prozent der Männer dachten manchmal an das ungeborene Kind, 29 Prozent träumten regelmäßig davon, 68 Prozent sagten, dass sie eine schwere Zeit durchgemacht hätten. Viele begannen während der Befragung zu weinen.

Niemand bestreitet, dass es Notlagen gibt, in denen

Frauen als letzten Ausweg nur den Schwangerschaftsabbruch sehen. Vergleichen wir es mit dem Recht auf Notwehr. Doch genauso wenig wie Notwehr prinzipiell Mord rechtfertigt, kann Abtreibung als Verhütungsmethode verniedlicht werden. Die Verharmlosung des Eingriffs gehört zu den ideologischen Nebenwirkungen des Feminismus. Dass die Aufklärung über die Probleme nach der Abtreibung schon als »konservativ« gilt, als tendenziöse Äußerung, muss jeden nachdenklich stimmen, dem am Wohl der Frauen gelegen ist. Die Frauenbewegung, die den Schwangerschaftsabbruch als Freiheitsbeweis feierte, lässt kaum Abweichungen zu. Alles Abwägen stellt Kritiker dieses Denkansatzes in eine rechte Ecke, Diskussionen sind nicht erwünscht.

Ist es das, was die Frauenbewegung wollte? Dass sie Themen besetzt und nicht mehr hergibt? Dass sie ein Redeverbot über Dinge erteilt, die nicht ins feministische Konzept passen? Es sieht ganz danach aus.

Aufschlussreich ist es, wie ich es auch schon beim Thema Kinderbetreuung getan habe, einen Blick zurück in die DDR zu werfen. Dort gehörte die Abtreibung zur Normalität, sie wurde ohne große Formalitäten gewährt und auch vom Staat bezahlt. Alles kein Problem also?

Vor einiger Zeit fiel mir ein Gedicht mit dem Titel »Interruptio« der Schriftstellerin Eva Strittmatter in die Hand, die einen großen Teil ihres Lebens unter dem DDR-Regime lebte. Darin heißt es: »Ich muss meine Trauer begraben / Um das ungeborene Kind. / Das werde ich niemals haben. / Dämonen pfeifen im Wind ... Es hat mich angerufen, / Es hat mich angefleht, / Ich soll es kommen lassen, / Ich habe mich weggedreht.« Gegen Ende des Gedichts schreibt sie:

»Das schwere Recht der Freiheit / Hab ich für mich missbraucht. / Und hab mich neu gefesselt. / In Tiefen bin ich getaucht.«

Das ist keine Politik. Das ist auch keine Polemik. Es ist die Klage einer Frau, die überzeugt war, das Richtige zu tun, weil ihr Umfeld es ihr so signalisierte. Und die nun bereut, dass sie abgetrieben hat und dieses Kind nicht lebt. In dem Gedicht kommt eine Passage vor, die belegt, was die Autorin dazu trieb, die Mutterschaft so vehement abzulehnen. Darin bekennt sie, dass sie ihre Arbeit für wichtiger gehalten hat und nun begreift, dass das ein Irrtum gewesen sein könnte: »Und wahnwitzverirrt / Hab ich mich darauf berufen, / Ich sei zum Schreiben bestellt. / Dabei war vielleicht diese Hoffnung / Viel wichtiger für die Welt.«

Nicht immer kommt es zum Extremfall einer Abtreibung, dennoch ist das Gedicht symptomatisch für die Skepsis gegenüber der Mutterschaft. Die Wertschätzung, die die Arbeit vor der Familie genießt, der Vorrang, der einer Berufstätigkeit gegenüber Kindern gegeben wird, ist zum Kennzeichen unserer Kultur geworden. »Das schwere Recht der Freiheit« – uns Frauen wird es aufgebürdet mit dem Hinweis, dass alles befriedigender sei, als nur Ehefrau und Mutter zu sein.

Fataler Männerhass

Und wie sieht diese Freiheit dann aus? Es ist kein Geheimnis, dass wir längst auf dem Weg in eine Singlekultur sind. Sehen wir uns die Zahlen an: Das Statistische Bundesamt veröffentlichte 2006 eine Statistik, der zufolge jeder fünfte Einwohner

Deutschlands allein lebt, insgesamt sind es 8,7 Millionen Frauen und 7,1 Millionen Männer. 46 Prozent der Frauen sind verwitwet, was bedeutet, dass 54 Prozent, also mehr als die Hälfte der allein lebenden Frauen, ledig oder geschieden ist oder in Beziehungen ohne gemeinsame Wohnung lebt. Ob sie gern allein leben? Ob sie etwas vermissen?

Ausgehen kann man davon, dass die Fähigkeit zu engen Bindungen allmählich abhanden kommt, obwohl die Sehnsucht danach unvermindert groß ist. Das Singleleben ist nicht so lustig und aufregend, wie uns manche Bücher oder Zeitschriften weismachen wollen. Millionen sind auf der Suche, sonst gäbe es nicht den Boom der Singlebörsen und Internet-Partnervermittlungen.

Die Online-Partneragentur »Parship« veröffentlichte vor kurzem eine Studie, für die sie mit einem Düsseldorfer Marktforschungsinstitut 1000 Singles interviewt hatte. In der Untersuchung ging es um die Frage der Kompromissbereitschaft. Das Ergebnis: Bei nahezu allen Partnerschaftsbelangen zeigten sich die Männer kompromissbereiter als die Frauen. Nur 36 Prozent der Frauen waren bereit, eine Verbindung mit einem Mann einzugehen, der noch nie eine feste Beziehung hatte, während 63 Prozent der Männer im umgekehrten Fall keine Probleme damit hatten. Deutlich weniger Frauen als Männer wollten übrigens den Kinderwunsch des Partners akzeptieren oder dem Partner mehr Raum geben als dem Freundeskreis.

Daraus könnte man schließen, dass Frauen weit wählerischer sind, was ja begrüßenswert wäre. Doch viel näher liegt ein anderer Schluss: dass sie erheblich skeptischer geworden sind und genaue, möglicherweise auch unrealistische Vorstellungen von einer Beziehung und den dazugehörenden Männern haben. Das Kölner Marktforschungsinstitut »Rheingold« schreibt denn auch den Frauen eine »enorme Erwartungshaltung« zu.

Keine Kompromisse! Oder so wenige wie möglich! Spontan fühlte ich mich an Birgit erinnert, als ich das las, an ihren Ausspruch, sie bleibe lieber einsam, als Zugeständnisse zu machen. Da muss man sich nicht wundern, wenn diese Frauen vielleicht ein Leben lang vergeblich auf den Traumpartner warten, den sie sich in Gedanken zusammengebastelt haben.

Die wahrhaft unheilvolle Konsequenz des Feminismus ist die Frontstellung, in die sich viele Frauen oft unbewusst begeben haben. Der Mann erscheint als Feind, der erst einmal beweisen muss, ob er nicht doch zum Freund werden könnte. Überall scheint Unterdrückung zu lauern, Unterwerfung, Sklaverei. Jeder, der in einer festen Beziehung lebt, weiß, dass ohne Verhandlungsbereitschaft und Kompromissbereitschaft keine langjährige Bindung zu haben ist. Wer immer nur aufrechnet, wer darauf wartet, welches Unrecht sich als Nächstes ereignen könnte, ist von Misstrauen gesteuert. Keine gute Basis.

Die Journalistinnen Angela und Juliana von Gatterburg wenden sich deshalb in ihrem Buch *Liebe, Drama, Wahnsinn* gegen den permanenten Verdacht, den Frauen den Männern entgegenbringen. Frauen seien heute »in ständiger Empörungsbereitschaft«, was die Fehler der Männer betrifft. Die Mutmaßungen über die grundsätzliche Schlechtigkeit der Männer sei irgendwann »ins bornierte Vorurteil« und in »erstaunliche Intoleranz« umgekippt.

Natürlich würden Feministinnen in Talkshow-Auftritten heute jede Männerfeindlichkeit weit von sich weisen. Ob das wirklich der Wahrheit entspricht? Als 1994 die Amerikanerin Lorena Bobbit ihrem schlafenden Ehemann den Penis mit einem Küchenmesser abtrennte, als Rache für seine Untreue, jubelte Alice Schwarzer in ihrem *Emma*-Artikel »Beyond Bitch« (2/1994): »Sie hat ihren Mann entwaffnet.« Und folgerte daraus, dass von nun an Frauen das Recht zur Gewalttätigkeit hätten: »Eine hat es getan. Der Damm ist gebrochen, Gewalt ist für Frauen kein Tabu mehr. Es kann zurückgeschlagen werden. Oder gestochen. Amerikanische Hausfrauen denken beim Anblick eines Küchenmessers nicht mehr nur ans Petersiliehacken.« Dies zu kommentieren, in neutraler Haltung, gelingt mir nicht.

Schwarzers Resümee: »Es bleibt den Opfern gar nichts anderes übrig, als selbst zu handeln. Und da muss ja Frauenfreude aufkommen, wenn eine zurückschlägt. Endlich.«

»Frauenfreude« – was für ein Wort. Und ganz nebenbei wird den Männern jedes Recht auf eine zivilrechtliche Justiz abgesprochen. Selbstjustiz ist das Gebot der Stunde, das Feuer wird eröffnet.

Dies war keine Entgleisung. Denn Schwarzer hatte sich auch vorher schon für Autorinnen wie die Amerikanerin Andrea Dworkin stark gemacht, die dem Feminismus zwar durchaus kritisch gegenüberstand, aber einen ungebremsten Männerhass predigte. In ihrem Buch *Pornographie. Männer beherrschen Frauen* hatte sie festgestellt: »Terror strahlt vom Mann aus, Terror erleuchtet sein Wesen, Terror ist sein Lebenszweck.« Bei der von Schwarzer nachdrücklich empfohlenen Autorin findet sich auch der Satz: »Ich möchte einen

Mann zu einer blutigen Masse geprügelt sehen, mit einem hochhackigen Schuh in seinen Mund gerammt wie ein Apfel in das Maul eines Schweins.«

Die verdeckte oder offene Männerfeindlichkeit ist kein extremistisches Randphänomen, sondern hat sich längst ins Bewusstsein vieler Frauen geschlichen. Und auch die Männer bleiben davon nicht unberührt. Die Autoren Paul Nathanson und Katherine K. Young warnten in ihrer Untersuchung über Männerhass (*Spreading Misandry: Teaching Contempt for Men in Popular Culture*) davor, dass Männer die negativen Klischees, die ihnen zugesprochen werden, sie seien emotionskalt und gewalttätig, am Ende tatsächlich übernehmen könnten. Frei nach dem Motto: »Ist der Ruf erst ruiniert, lebt es sich ganz ungeniert.«

Immer wieder begegnet uns der Typ Frau, für die das Kritisieren, wenn nicht Verächtlichmachen von Männern eine Art Sport oder gar Lebensinhalt geworden ist. Ganz gleich ob sie als kämpferische Emanze, als gesittet erscheinende Nadelstreifen-Managerin oder als Veteranin und harmlos-lustige Talkshow-Oma des deutschen Feminismus auftritt, die in Wirklichkeit den gezückten Dolch unter der schwarzen Kutte trägt, stets ist es erschreckend, wie weit verbreitet und konsequent rücksichtslos dieses Verhalten ist. Frust verbirgt sich dahinter, manchmal auch eine reale schlechte Erfahrung. Eine Rechtfertigung für verbale Angriffe ist das alles jedoch nicht.

Die größte Gefahr liegt darin, dieses Verhalten in einen Topf mit der »gesunden« Emanzipation zu werfen. Mir scheint es dringend notwendig, die gewalttätigen Wurzeln dieser Haltung zu erkennen, um sie überdenken zu können.

Wir sollten uns nicht damit abfinden, im Kriegszustand zu leben. Misstrauen, Geringschätzung und Hass sind eine Quelle des Unfriedens und versperren nur zu oft den Weg zur Versöhnung. Mit Weiblichkeit haben sie auf jeden Fall gar nichts zu tun.

Verabschieden wir uns von solchem Frontverhalten. Legen wir die Waffen nieder. Wir alle sind fehlbar, Männer wie Frauen. Geben wir uns die Chance, zu lernen, zu reden, zu verhandeln. Die perfekte Beziehung gibt es nicht, genauso wenig wie den perfekten Mann. Aber welche Frau würde sich schon anmaßen, sich selbst als fehlerlos zu bezeichnen?

Es ist höchste Zeit, dass wir das Gift kriegerischer Gedanken aus unseren Köpfen und Herzen verbannen. Sonst werden wir niemals wahre Frauen und Mütter, und die Männer haben genauso wenig wie wir die Möglichkeit, an einer Beziehung und am Vatersein zu wachsen.

Die wahren Frauen haben viele Jahre lang geschlafen und das Feld den schwarzen Streiterinnen überlassen. Doch nun bricht ihre Zeit an, die Zeit der Weiblichkeit.

7
Der Krieg gegen die Männer – warum wir ihn uns nicht leisten können

Nach dem Ende einer Talksendung, zu der ich eingeladen war, saßen wir im Anschluss mit mehreren Gästen in gemütlicher Runde zusammen. Schnell kam die Rede auf den *Cicero*-Artikel, und ein Journalist wollte von mir wissen, welche Rolle denn neben Emanzipation und weiblicher Selbstverwirklichung die Männer eigentlich spielten. Haben sich die Frauen verändert wegen der Männer? Oder verändern sich die Männer wegen des veränderten Verhaltens der Frauen? Vermissen die Männer das Weibliche oder sind sie mit der Vermännlichung der Frau einverstanden? Das waren die Fragen, mit denen er mich bestürmte.

Es war klar, dass er mich provozieren wollte, schließlich war er ein Mann und konnte diese Fragen viel besser beantworten. Darum bat ich ihn dann auch. Das darauf folgende Gespräch dauerte viele Stunden, und die Runde wurde immer größer. Jeder hatte etwas zu diesem Thema zu sagen.

Der Journalist, das wurde schnell deutlich, äußerte seine Meinung gern, und es war vollkommen offensichtlich, dass sich bei ihm einiges aufgestaut hatte. So war er der Ansicht, dass Frauen sich heutzutage weitgehend vom Frausein verabschiedet hätten. Tugenden wie Anmut und Reinheit, die für ihn unmittelbar mit dem Begriff Weiblichkeit verbunden waren, existierten nicht mehr. Selber Vater von zwei Kindern, betonte er, dass zwar seine eigene Frau und einige wenige andere Bekannte noch Vorstellungen von Mütterlichkeit und Fürsorglichkeit hätten, dass sie aber die Ausnahme seien. Auch Hingabe und Zuwendung seien Fremdwörter für die meisten Frauen.

Das waren Worte, die teils für Stirnrunzeln, teils für Erstaunen, am meisten aber für zustimmendes Kopfnicken in der Runde sorgten. Kündigte sich hier ein neuer Blick und eine neue Sprache für den Geschlechterkampf an? Standen die Frauen nach der jahrzehntelangen erbitterten Aburteilung und Missbilligung von Männern nun selbst im Kreuzfeuer der Kritik?

Es ging aber noch weiter. Emotionalität und Empfindung sprach der Journalist den meisten Frauen ab. Für sie zähle allein das Erfolgsstreben und die Anstrengung, es den Männern gleichzutun. »Und die Männer?«, fragte ich nun zurück. »Was hat sich da getan?«

»Männer«, antwortete er, »haben ganz normale Sehnsüchte. Sie wünschen sich endlich wieder eine harmonische, funktionierende Familie. Sie wollen arbeiten gehen, das Geld verdienen, und zu Hause soll alles störungsfrei laufen. Doch es sind im Grunde die Frauen, die keine Lust mehr darauf haben.«

Eine junge Sängerin meldete sich zu Wort, sichtlich wütend. So einfach sei die Sache nun auch wieder nicht, fuhr sie ihn an. Einige Folgen der Emanzipation seien zwar durchaus nicht erfreulich für die Partnerbeziehung, aber schließlich könne man nicht alle Frauen über einen Kamm scheren. Sie berichtete von einer erst kürzlich zerbrochenen Beziehung zu einem gleichaltrigen Mann, den sie gerne geheiratet hätte und mit dem sie sich auch gemeinsame Kinder hätte vorstellen können. »Doch wer wollte keine Verantwortung übernehmen?«, fragte sie. »Ich schon. Er aber nicht. So ein selbstsüchtiger Macho.« Sie hatte ihn daraufhin verlassen, weil sie sich der Perspektive einer gemeinsamen Zukunft beraubt sah.

»Das ist ja ein interessantes Thema«, brachte ein Mittvierziger aus der Musikbranche hervor. »Mich verließ vor kurzem meine langjährige Freundin, weil ich ihr mit meinem ewigen Familiengefasel auf die Nerven ging. Sie hatte gerade ihr Studium beendet und wollte sich nun ein Berufsleben aufbauen. Bin ich denn auch ein Macho, wenn ich mir Kinder wünsche?«

Die Talkrunde war ein gutes Beispiel für die Vielfältigkeit der Bezeichnungen, die wir heute zu verteilen haben, wenn wir über Männer sprechen: Machos, Softies, Leithammel, Weicheier. Und man muss sich ernsthaft fragen, ob die Spezies Mann mittlerweile zum absonderlichen Sorgenfall mutiert ist. Entweder kommt er gleichsam als primitiver Steinzeitmann mit der Keule daher oder er wird als verweiblichtes und verweichlichtes Zivilisationsopfer belächelt. Wie aber steht es wirklich um den Mann?

Keine Frage, das neue weibliche Rollenverständnis erschütterte auch das Selbstbild der Männer. Je dominanter die Frauen auftraten und die Männer in Frage stellten, desto verunsicherter wurden sie. Sie fanden sich plötzlich in der Verteidigungsposition wieder. Sie mussten sich nun rechtfertigen für vieles, was früher als selbstverständlich galt. Viele gaben dem Anpassungsdruck nach und taten schließlich das, was die Frauen von ihnen verlangten: Sie versuchten ihre männlichen Eigenschaften und Verhaltensweisen nach Kräften zu unterdrücken. Das reichte bis in den Alltag hinein, bis hin zu den kleinsten Dingen, die nun mit Bedeutung aufgeladen wurden. Gut ging das Experiment nicht aus.

Anette beispielsweise, eine sehr erfolgreiche Physiotherapeutin, machte die Erziehung ihres Freundes zum »Sitzpinkler« zur Qualitätsfrage ihrer Beziehung. »Wenn du mich wirklich liebst ...«, begannen ihre Sätze. Sie sprach von Hygiene, meinte aber die Unterordnung unter ihre weiblichen Vorstellungen. Ein halbes Jahr lang nahm der Mann ergeben Platz beim kleinen Geschäft. Dann stand er auf – und ging für immer.

Er tat es mit dem Hinweis, dass er die Nase voll habe, sich für sein Mannsein permanent entschuldigen zu müssen. Dafür, dass er samstags gern die Sportschau sehe. Dafür, dass er am Wochenende lieber zum Autowaschen gehe statt zum Kochkurs »Zaubern mit Tofu«. Und er wolle sich auch nicht mehr dafür entschuldigen, dass er manchmal einfach keine Lust hätte zu reden und von einer Harley Davidson träume, obwohl man damit nicht den Wochenendeinkauf transportieren kann.

All das erzählte Anette im Ton größter Empörung. Fast schien es mir, als sei sie so beleidigt wie eine Lehrerin, deren Schüler ihre Lektion nicht lernen wollte. Sie konnte und wollte nicht akzeptieren, dass ein Mann andere Interessen hatte, andere Vorlieben und andere Träume. Damit war eine Weile Schluss gewesen – bis der Mann diese Selbstverleugnung nicht mehr ertrug.

Es scheint so, als sei der selbstverständliche Umgang der Geschlechter einem misstrauischen Umschleichen gewichen. Männer können nicht mehr sicher sein, alles »richtig« zu machen, zu hoch sind die Ansprüche geworden, und zu kompliziert sind auch die Regeln. Darf ein Mann eine Frau zum Essen einladen oder sieht sie es schon als Demütigung an, wenn er bezahlt? Ist es eine unzulässige Grenzüberschreitung, wenn er der sympathischen Unbekannten morgens im Fahrstuhl freundlich zunickt? Ist das Kompliment für das schicke Kostüm der Kollegin bereits sexuelle Belästigung?

Mittlerweile sollten sogar extrem selbstbewusste und selbstbestimmte Frauen begriffen haben, dass »typisch männlich« nicht automatisch »typisch Unterdrücker mit Lizenz zur Gewalt« bedeutet, wie der Feminismus es uns weismachen wollte. Noch 2002 schrieb Alice Schwarzer bedenkliche Sätze wie den, dass sich »unter scheinbarer Galanterie und Fürsorge der Männer in Wahrheit immer Verachtung und Benachteiligung gegenüber Frauen verberge«. Alles klar? Wenn er ihr in den Mantel hilft oder ihr die Tür aufhält, dann geschieht das nur, um ihre Schwachheit vorzuführen oder sie zum Nichts zu degradieren.

Solche klischeehaften Vorstellungen haben dazu geführt, dass Männer es häufig gar nicht mehr wagen, höflich und respektvoll mit Frauen umzugehen. Oder sie versuchen sich krampfhaft anzupassen – bis der Leidensdruck zu groß wird.

Das Unbehagen der Frauenversteher

An dem bereits erwähnten Abend, an dem ich mit anderen Fernsehgästen über Männer und Frauen diskutierte, nahm mich zu vorgerückter Stunde ein junger Schauspieler zur Seite, ein typischer Vertreter der Turnschuhgeneration, Mitte dreißig, lässig, attraktiv. »Ich muss unbedingt mit Ihnen über die Männerrolle sprechen«, sagte er. »Seit zwei Stunden höre ich nun Ihrer Diskussion zu, und das alles wühlt mich ungeheuer auf. Ich habe das Gefühl, dass ich nach langen Jahren der Verzweiflung endlich der Lösung meines Lebensproblems näher komme.«

Ich war völlig überrascht. Dieser Mann hatte Lebensprobleme? Er, der so entspannt auftrat und mit seiner lockeren Art zur Kultfigur geworden war? In eindringlichen Worten schilderte er, dass er als Kind bei seiner Großmutter aufgewachsen war. Die Mutter arbeitete, seinen Vater hatte er nie kennen gelernt. Er war, wie er berichtete, ein zufriedenes und höfliches Kind gewesen, das gut mit seinem von Frauen geprägten Umfeld auskam. Da über den Vater nie gesprochen wurde, habe er ihn auch nicht wirklich vermisst.

Erst mit Beginn der Pubertät beschäftigte ihn die Frage nach seinen Wurzeln immer eindringlicher. Doch obwohl er auf Auskünfte drängte, erhielt er keine Antwort. Der Vater? Ein weißer Fleck auf der Familienlandkarte. Als hätte es ihn nie gegeben. Und so wurde der Junge immer mehr in den weiblichen Kokon eingesponnen, völlig integriert in die Welt der Frauen.

Das blieb nicht ohne Folgen. In der Schule und während des Studiums stand er im Ruf eines Frauenverstehers. »Weil ich ein Softie bin und die Frauen wirklich gut begreife«, erklärte er. Dann aber merkte er traurig an, er habe öfter als die anderen jungen Männer von seinen Geschlechtsgenossen »eins aufs Maul« bekommen, einfach nur so, wahrscheinlich, weil sie ihn als ihresgleichen nicht anerkannten. Und überhaupt sei er nachdenklich geworden, was seine abgeschwächte Männlichkeit betreffe. »Mittlerweile gefalle ich mir nicht mehr in der Rolle des Softies«, bekannte der Schauspieler. Seine Worte klangen ernst, er war sichtlich bewegt. »Zunehmend habe ich nämlich das Gefühl, dass ich den Mann in mir unterdrücken muss, um es meiner Freundin recht zu machen.«

Ich fragte genauer nach, und er erzählte, dass er nicht mehr wie früher als allein lebender Student mit seinen Kumpels samstags ins Fußballstadion gehe, obwohl er das wirklich liebend gerne täte. Vielmehr spaziere er, um der Beziehung willen, mit seiner Freundin von einer Parfümerie in die andere, um neue Düfte auszuprobieren und aktuelle Lippenstiftfarben zu begutachten. »Könnte es sein«, fragte er aufgeregt, »dass der Einfluss meiner Großmutter und meiner Mutter heute noch so groß ist, dass ich mich selbst als erwachsener Mann nicht von diesen Mustern lösen kann? Dass ich, ob ich will oder nicht, auf Frauen höre und deren Wünsche erfülle, auch wenn meine eigenen auf der Strecke bleiben? Oder habe ich es versäumt, das zu erkennen und rechtzeitig die Notbremse zu ziehen?«

Ja, das mit dem weiblichen Einfluss könnte zutreffen, bestätigten einige Tage später zwei Psychologen unabhängig voneinander, die ich um ihre Meinung gebeten hatte, als ich ihnen von dieser Biographie berichtete. Es gebe viele Hinweise darauf, dass die Feminisierung in der Erziehung viele Jungen und jugendliche Männer in eine schwere Leistungs- und Identitätskrise geführt hätten.

Ein Freund fiel mir ein, Kai, Lehrer für Deutsch und Geschichte, ein ausgesprochen amüsanter Mann, voller Charme und immer bereit, eine ganze Partyrunde mit seinen Geschichten zu unterhalten. Ein echter »Frauentyp«. An Gelegenheiten mangelt es ihm nicht. Doch die längste Beziehung, die er als Mittvierziger hinbekommen hat, dauerte elf Monate. Warum nur? Er selbst ging der Sache auf den Grund. In einer schwachen Stunde verriet er mir, dass er sexuell regelmäßig versage, hinzu komme seine Angst vor Bindung. Und die Ursache liege, das werde ihm allmählich klar, in seiner Kindheit.

Sein Vater sei gebrochen aus dem Krieg zurückgekehrt, die Mutter war dominant gewesen und habe ihren Sohn abgöttisch geliebt, ihn gleichzeitig aber so fest an sich gebunden, dass er kaum Luft bekam – und nun hatte er auch in Beziehungen zu Frauen sehr rasch das Gefühl zu ersticken. Zur Übermutterung kam die unbedingte Autorität: Er hatte seiner Mutter regelrecht zu Füßen liegen müssen. Die Folge: Heute könne er aus diesem Grund Frauen weder »erobern« noch ihnen die »starke Schulter« bieten.

So weit ist es also gekommen, dachte ich. Frauen dürfen schon lange keine Frauen mehr sein, wenn man den Thesen des Feminismus folgt, und nun dürfen auch die Männer keine Männer mehr sein! Wollen wir das wirklich? Vermännlichte Frauen und verweiblichte Männer? Wem nützt das eigentlich? War das der Sieg, den die Feministinnen im Sinn hatten? Starke Frauen und schwache Männer?

Zumindest in der Generation der heute unter Zwanzigjährigen zeichnet sich ab, dass Männer die großen Verlierer sind und weiter sein werden, gesellschaftlich und auch beruflich. Und das nicht etwa, weil sie sich um des Beziehungsfriedens willen nicht mehr auf den Fußballplatz trauen. Sondern weil sie in einem nachhaltig feminisierten Klima aufwachsen, das jede legitime männliche Wesensart unterdrückt.

Die männlichen Jugendlichen von heute erfahren vermehrt eine männerfreie Welt. Viele leben mit ihrer allein erziehenden Mutter zusammen, in einem Familientorso also, wo der Vater fehlt oder nur sporadisch anwesend ist und kaum Einfluss nimmt. Die »vaterlose Gesellschaft«, einst als Etikett der Nachkriegsgeneration erfunden, ist längst zum Schlagwort auch für unsere Gegenwart geworden. Das führt dazu, dass Jungen den fehlenden Vater kompensieren und sich häufig mit überzeichneten maskulinen Fantasiefiguren wie dem Terminator (alias Arnold Schwarzenegger) identifizieren. Sie träumen von Männlichkeit und Stärke, erleben aber nicht wirklichkeitsgetreu, wie diese Prinzipien aufs menschliche Maß reduziert und relativiert werden können. Das führt zu einer Fehleinschätzung der eigenen Stärken und Fähigkeiten und schließlich dazu, dass die Jungen in der Schule keine angemessenen Leistungen mehr erbringen, weil sie in einer Traumwelt versunken sind, statt konzentriert am Unterricht teilzunehmen.

Nicht nur das familiäre Milieu, das gesamte pädagogische Betreuungs- und Ausbildungssystem unseres Landes ist vom Kindergarten bis zum Gymnasium überwiegend von weiblicher Erziehung geprägt. Und so werden Jungen vor allem nach den Maßstäben von Frauen gemessen; jede altersgerechte und für Jungen normale Art der vermeintlichen Aggression, jeder Kampf um die Hackordnung in der Klasse, jede Rebellion wird als »verhaltensauffällig« eingestuft und verboten. Daher lernen die Jungen nicht, Konflikte und durchaus gesunde Rangordnungskämpfe auszutragen und auszuhalten, sich zu versöhnen und ihre Aggression auf diese Weise zu steuern und zu kontrollieren.

Jungen erscheinen Lehrerinnen als wesentlich anstrengender. Sie sind eben nicht so pflegeleicht wie Mädchen, sie sind weniger angepasst, nicht so kommunikativ und »nett«, und wenn sie dann noch verschlossen oder störrisch auftreten, erkennen die Erzieherinnen häufig nicht das Muster, das sich dahinter verbirgt: die Erprobung der Männlichkeit.

Schon vor vielen Jahrzehnten hat der Psychoanalytiker Alexander Mitscherlich darauf aufmerksam gemacht, dass Väter eine andere Rolle bei der Erziehung spielen als Mütter – und dass Kinder beides brauchen. Der Mann vermittelt stärker Realitätseinsichten, schleift allzu viel Egozentrik ab, er bereitet den Jungen stärker als die Mutter auf die rauen Gesetze der »Welt da draußen« vor, die nur durch Zügelung des Egos und durch funktionierende innere Kontrollinstanzen erobert werden kann.

Für die Schule gilt das Gleiche wie für das häusliche Umfeld: Für die Persönlichkeitsbildung ist es unerlässlich, Lehrer und Lehrerin, Männliches und Weibliches zu erfahren. Doch stattdessen kann es passieren, dass ein Abiturient in seiner Kindergarten- und Schulzeit bis zu seinem neunzehnten Lebensjahr unter Umständen nicht einen einzigen Mann erlebt.

Wenn dieser Junge es denn überhaupt bis zum Abitur schafft. Längst ist der männliche Nachwuchs nämlich schulisch auf der Verliererstraße. Vorbei die Zeiten, als man mutmaßte, Mädchen würden von den Jungen in der Schule unterdrückt und beiseite geschoben. Nun stehen diese im Abseits. Jungen werden bei der Einschulung häufiger zurückgestellt als Mädchen, bleiben öfter sitzen, etwa im Verhältnis von sechzig zu vierzig, und sie werden verstärkt in Sonderschulen abgeschoben. Bundesweit machen – mit wachsender Tendenz – im Durchschnitt mehr Mädchen als Jungen Abitur, und Jungen haben zu 14 Prozent häufiger keinen Abschluss.

Sie werden zunehmend als Risikogruppe erkannt, dennoch gibt es kaum Ansätze, die verunsicherten Kinder speziell zu begleiten. Die Publizistin Susanne Gaschke nennt fünf Problemschwerpunkte, die das Dilemma des Mannes deutlich machen: 1. Die massiven Erziehungs- und Bildungsprobleme des männlichen Nachwuchses. 2. Die zunehmende, praktisch ausschließlich männliche Gewaltkriminalität. 3. Die für Männer besonders ungünstige Entwicklung auf dem Arbeitsmarkt. 4. Ihre Unfähigkeit, sich auf Familie und Vaterschaft einzulassen. 5. Der Mangel an kulturellen Vorbildern für einen zukunftsfähigen Mann neuen Typs.

Ob diese Auflistung von Mängeln und Problemen bei hartgesottenen Feministinnen klammheimliche Schadenfreude hervorruft? Möglicherweise. Denn angesichts einer Sichtweise, die Männer rundweg zu gewaltbereiten Unterdrückern macht, muss das alles wie eine ausgleichende Gerechtigkeit wirken. Dabei kann es keiner Gesellschaft gleichgültig sein, dass fast die Hälfte ihrer Bürger nachweislich Probleme hat oder bekommen könnte. Volkswirtschaftlich gesehen sind schlecht ausgebildete, zornige und nicht leistungsbereite Männer nicht nur ein soziales, sondern auch ein finanzielles Problem. Ein Krisengebiet mehr, das sich unser Staat nicht mehr leisten kann. Auch Dr. Christian Pfeiffer vom kriminologischen Institut Hannover schlägt Alarm: »In Zukunft werden wir uns neben den Folgen des demographischen Wandels um dieses Thema kümmern müssen – und zwar mit aller Kraft. Andernfalls landen wir im Chaos!«

Angekündigt hat sich die Krise der jungen Männer schon vor vielen Jahren. So überschrieb die *Zeit* bereits 2002 einen Artikel mit der Schlagzeile: »Die neuen Prügelknaben.« Der Bericht setzte sich mit den Folgen einer einseitigen Bildungsförderung auseinander – die zugunsten der Mädchen verläuft. »Die Jungen wurden neben einer übereifrigen Mädchenförderung schlicht vergessen«, hieß es.

Rückzug aus der Partnerschaft

Nicht immer fällt die Krise der Männer so deutlich ins Auge wie beim Schulversagen der Jungen. Manchmal sind es nur Abweichungen, die eine Menge über den Einfluss männerfeindlicher Ideologien aus den Anfängen des Feminismus erzählen können Dazu gehört beispielsweise das Phänomen der »ewigen Jungen«, mithin jener Männer, die sich weigern, erwachsen zu werden. Sie wollen Spaß statt Verantwortung, nach dem Motto: »Ich will doch nur spielen!« Denn diese Männer wissen, dass es richtig anstrengend ist, wenn es mal ernst wird mit einer Frau. Das bedeutet: zähes Verhandeln, wenn es um gemeinsame Freizeitaktivitäten geht, endloses

Debattieren über Aufgabenverteilung wie Bügeln und den Müll runterbringen, offener Geschlechterkampf, wenn nicht alles so läuft, wie im Soll-und-Haben-Plan konsequenter Gleichberechtigung vorgesehen. Wie feindliche Konkurrenten stehen Mann und Frau sich dann gegenüber.

Till Schweiger, geschiedener Vater von vier Kindern, formulierte es in einem Interview in der *Zeit* folgendermaßen: »Dana und ich wurden früher oft gefragt: ›Was ist das Erfolgsgeheimnis Ihrer Ehe?‹ Es gibt kein Geheimnis, haben wir geantwortet, es gibt nicht die Traumfamilie. Nur wenn es keine Konkurrenz gibt in der Ehe, können beide nach einer Weile Freunde werden. Aber wem gelingt das schon?«

Der ausgerufene Geschlechterwettkampf macht es immer schwieriger, die Ehe als Partnerschaft unterschiedlicher Talente und Aufgaben zu sehen, in der das Konkurrenzdenken keinen Platz hat. Nahezu verständlich, dass sich immer mehr Männer diesem Stress entziehen und nur unverbindliche Teilzeitbeziehungen möchten – die wie selbstverständlich kinderlos bleiben.

»Wir wollen nicht mal ein bisschen Quote, wir wollen Macht über die Männer«, hatte Alice Schwarzer gefordert. Das hieß letztlich: Lasst uns die Männer kleinmachen! Doch die Männer weigern sich, wie Haustiere dressiert zu werden. Sie ziehen es vor, als einsame Wölfe durch die Gegend zu ziehen, statt ein Dasein als angepasster Schoßhund zu fristen.

Dies ist natürlich auch das Terrain all jener Männer, die – man darf es nicht verschweigen – nach wie vor Frauen ausnutzen, belügen, betrügen und emotional ausbeuten. Ja, es gibt sie, und es hat sie auch früher schon gegeben, diese finsteren Charaktere, die Frauen schlecht behandeln, sie schlagen, sie ihrer Freiheit berauben. Doch um sie geht es hier nicht. Sie sind nicht Teil des Problems, das die diffusen Männerbilder heute hervorbringt, die Rollenunsicherheiten, die Männer zögern lassen, sich langfristig zu binden und Vater zu werden.

Wenn doch eine Ehe eingegangen wird, so zerreiben sich die Partner häufig in kindischen Kämpfen um Rechte und Pflichten. Das prägt wiederum die Sprösslinge, die erleben, dass eine Beziehung offenbar aus Konflikten, Streit und permanentem Aufrechnen besteht, aus einem großen Machtspiel, in das auch sie selber einbezogen werden. »Du warst gestern mit deinen Freunden unterwegs, jetzt mach wenigstens mit den Kindern die Hausaufgaben!«, heißt es da schon mal. Oder: »Statt mit deiner blödsinnigen Steuersoftware rumzuspielen, solltest du lieber mal Tanjas Puppenhaus reparieren!«

Die Botschaft ist immer die gleiche: Viele Frauen finden Männer grundsätzlich unreif, verspielt und verantwortungslos, daher haben sie zu Hause »die Hosen an« und kommandieren den Gatten permanent herum. Und kontrollieren ihn, damit er ja keine Dummheiten macht.

Einem entfernten Bekannten, er ist Anwalt mit einem großen Büro, wurde das eines Tages zu bunt. Einmal im Monat veranstaltete er mit Freunden ein Treffen, das sie ironisch als »Herrenabend« bezeichneten. Sie gingen essen, tranken guten Rotwein, rauchten hinterher manchmal noch eine Zigarre und kehrten dann in ihre Wohnungen zurück. Keine Verrücktheiten, keine Ausschweifungen, aber eben Männer unter sich.

Die Frau dieses Bekannten hatte ihn stets mit säuerlicher Miene ziehen lassen, nicht ohne sich genau zu erkundigen, wann und wo diese Treffen stattfanden. Einmal tauchte sie wie zufällig bei einem »Herrenabend« auf, und es war allen klar, dass sie sich auf Kontrollstreife befand. Dem Anwalt war das furchtbar peinlich, und als er später daheim war, stellte er seine Frau zur Rede. Da brach es aus ihr heraus: »Du baust dir ein Parallelleben ohne mich auf!« Der Mann verstand nicht im Mindesten, wovon sie sprach, bis er einsehen musste, dass sie selbst diesen einen Abend im Monat nicht ertrug, an dem er ihrer Kontrolle entzogen war. »Denk mal über unsere Beziehung nach!«, rief sie aus. Er tat es. Und verließ sie zwei Wochen später.

Nicht alle Männer sind so radikal. Viele machen sich erst einmal das Leben schwer und wagen die Entmännlichung im Selbstversuch, ein Dasein nach den Vorgaben der Frau. Früher nannte man solche Männer »Pantoffelhelden«. Heute werden sie als »die neuen Männer« gefeiert, die Windeln wechseln, Spaghetti kochen und zur Not auch mal zum Seidenmalkurs mitkommen. Alles gut und schön – aber dürfen sie umgekehrt auch »typisch Männliches« zulassen? Nein. Denn das sei ja Macho-Gehabe.

Der deformierte Mann

Die Tabuisierung der eigenen Männlichkeit – männliche Rituale und selbst harmlose männliche Macken eingeschlossen – lässt in Männern das Gefühl entstehen, sie seien grundsätzlich Versager. Sie zweifeln an sich und sie zweifeln noch mehr daran, die Widersprüche auch noch innerhalb einer Familie zu ertragen. Auch der Mann braucht Freiheit – nicht nur die Frauen, die Emanzipation als nahezu grenzenlose persönliche Freiheit verstehen.

Besonders abwegig ist es, dass die öffentliche Diskussion über Männer Einzelerscheinungen zu Trendsettern hochjubelt. Lässt sich David Beckham mit einem Haarreifen auf dem Fußballplatz sehen, wird sofort ein neues Männerbild herbeigeredet, die so genannte Metrosexualität, ein Wechselspiel zwischen Mann und Frau. Wenn Robbie Williams in seinen Musikvideos anstößige Posen und aufreizend gekleidete Mädchen vorführt, wird gleich darüber diskutiert, ob Männer wieder »bad boys«, also böse Jungs sein dürfen. Und wenn Günther Jauch sich zu preußischen Tugenden und zum Tischgebet bekennt, scheint der Patriarch wieder in Mode zu kommen.

Dauernd wird also am Mann herumerzogen, ständig werden neue Rollen und neue Regeln erfunden, als sei er ein wildes Gewächs, das erst beschnitten werden muss, um in den Garten zu passen.

Es ist höchste Zeit, das Kriegsbeil zu begraben. Selbst einstmals männerfeindliche Feministinnen wie die Amerikanerin Susan Faludi, die die Männer dämonisiert hatte, lenken mittlerweile ein. Und Betty Friedan, altgediente Veteranin des amerikanischen Feminismus, betont heute, dass einseitige Schuldzuweisungen an die Männer uns nicht weiterbrächten. In Bezug auf bessere Lebensbedingungen verriet sie schon vor mehr als einem Jahrzehnt dem *Spiegel* (3/1995): »Wir können das nicht gegen die Männer auskämpfen, nur gemeinsam mit ihnen.«

Und, wichtiger noch: Sie räumte auch gleich auf mit dem Mythos des Mannes als bedrohlichem Übermenschen. Während deutsche Feministinnen Männer immer noch gern als gewaltbereite Sexmonster verteufeln, bemerkt Friedan schlicht: »Er muss wettbewerbsfähig sein, den Potenznormen genügen, und das ist verflixt schwierig.«

Viel zu lange wurde der Mann im Krieg der Geschlechter als Supermann gesehen. Doch auch er hat Probleme, sucht Anerkennung, hat Ängste, fühlt sich von Normen bedrängt. Keinesfalls ist er nur der souveräne Despot. Und noch weniger ist er Urheber allen Übels. Die verschiedenen Rollenbilder und Ansprüche zerren an ihm nicht weniger als an den Frauen. Der Psychiater Peter Riedesser beschreibt die Situation im Juni 2006 in der *Zeit* so: »Die Männer sind zerrissen zwischen dem Wunsch, eine Frau zu finden, die sie lieben, und eine gute Beziehung zu ihren Kindern zu haben, und dem Bedürfnis, der Arbeitswelt mit ihren Karrieremustern gerecht zu werden. Den Frauen geht es nicht anders. So treffen also innerlich zerrissene Männer auf innerlich zerrissene Frauen.«

Riedesser betont, dass »die hergebrachten Begriffe von Mütterlichkeit und Väterlichkeit« neu definiert werden müssten. »Der Hausmann der siebziger Jahre, der in Latzhose versuchte, die bessere Mutter abzugeben, war doch eine belächelte Figur.« Stattdessen müsse es darum gehen, die gleichberechtigte Elternschaft zu leben – jedoch auf der Basis konturenscharfer Unterschiede zwischen Frau und Mann. »Der Vater ist Vorbild und Identifikationsfigur für den Jungen, und für das Mädchen ist er der erste männliche Mensch, von dem es sich ermutigt oder abgewiesen fühlt.«

In Umfragen nimmt er schon Gestalt an, der »neue Mann«, der trotz des Berufs Kindererziehung und Hausarbeit als selbstverständlich ansieht. Doch das könnten zeitgeistige Absichtserklärungen sein, wie Wassilios Fthenakis betont, langjähriger Direktor des Staatsinstituts für Frühpädagogik in München. Es handele sich dabei um ein »subjektives Konzept«. Was bedeutet, dass der Mann gern wollen würde, dann aber doch nicht danach handelt. Dafür sollte er nicht abgeurteilt werden; es wird noch ein langer Weg sein, bis wir liebevolle, interessierte Väter erleben werden, die trotzdem in ihrer männlichen Rolle zu Hause sind.

Lassen wir also den Mann Mann sein. Hören wir auf, an ihm herumzuerziehen, als seien wir Gouvernanten. Respekt und Akzeptanz können wir nur erwarten, wenn wir auch die Männer respektieren und akzeptieren. Ja, es mag vielleicht albern aussehen, wenn ein erwachsener Mann seinen Fan-Schal umlegt und sich mit seinen Kumpels in die Südkurve begibt. Richtig, ein Mann könnte auch Gemüse putzen, statt im Keller an seinem ferngesteuerten Flugzeug herumzubasteln. Doch wollen wir das wirklich? Und lohnt sich der Streit um diese Dinge? Sollen wir wirklich den Familienfrieden diesem lächerlichen Kleinkrieg opfern?

»Ich würde keinem Mann seinen Porsche ausreden wollen, solange das Geld noch für die Familie reicht und er nicht zu schnell damit fährt«, sagt der Berliner Männerforscher und Männerberater Eberhard Schäfer. Ob wir das noch erleben werden, einen gefühlsbetonten, verträglichen »richtigen Mann« ohne Nebenwirkungen? Schön wäre es.

8
Der Weg zur Versöhnung – warum das Eva-Prinzip uns retten kann

Als der Sohn einer Freundin von der Grundschule ins Gymnasium wechselte, hatte die Klassenlehrerin eine wunderbare Idee: Jedes Kind sollte aufschreiben, wie es sich sein Leben in dreißig Jahren vorstellte. Witzige, nachdenkliche und sehr aufschlussreiche Texte kamen dabei heraus. Alle Kinder, ganz gleich ob Jungen oder Mädchen, träumten von einer Familie mit mindestens zwei Kindern, von einem Haus und einem Hund. Nicht ein einziges beschrieb sich als Single.

Dabei ist es viel wahrscheinlicher, dass viele von ihnen für immer dem »Club der einsamen Herzen« angehören werden. Und auch der Kinderwunsch wird statistisch gesehen für viele ein Wunsch bleiben. Oder ist etwa ein Ende des Geburtenrückgangs in Sicht und die Renaissance der Familie?

Die Sehnsucht nach Familie ist groß. Doch wer sich nicht früh bindet und »erst einmal« Single bleibt, der hat es offenbar immer schwerer, noch den Partner zu finden, der die Idylle mit Kind und Kegel will.

Die Frauenzeitschrift *Freundin* wollte 2006 von den Singles unter den Leserinnen wissen, wie das real existierende Singledasein aussieht. Was dabei herauskam, ist ernüchternd. Denn statt der gängigen *Sex and the City*-Legende, der zufolge weibliche Singles ein aufregendes, männerreiches Leben führen, sah die Wirklichkeit anders aus.

44 Prozent der Frauen gaben an, dass sie zwar gern flirten würden, dass sie aber nicht den Mut dazu hätten. 22 Prozent vermieden jeglichen Kontakt mit Männern, weil sie schwer enttäuscht worden waren. 20 Prozent laborierten noch an den Spätfolgen einer gescheiterten Beziehung und fühlten sich nicht bereit für eine neue. Und sagenhafte 41 Prozent sagten: »Ich will mich nicht binden, weil ich dann meine Freiheit aufgeben müsste.«

Diese Aussagen kann man als Momentaufnahme abtun, doch das Statistische Bundesamt wartet mit Zahlen auf, die belegen, wie stark die Bindungsunfähigkeit oder Bindungsunwilligkeit unsere Gesellschaft bereits verändert hat. Auf die knappe Formel gebracht: Es gibt immer mehr Haushalte mit immer weniger Personen – und mit immer weniger Kindern. Die bedeutendste Langzeitbeobachtung zum Thema Stabilität und Wandel der Lebensverhältnisse, die den Titel *Leben in Deutschland* trägt, ist Teil des Mikrozensus 2005. Die Tendenzen, die dieser Bericht sichtbar macht, sind alarmierend. In nur noch knapp einem Drittel aller Haushalte leben zwei Generationen, ein Zusammenwohnen von drei oder mehr Generationen kommt kaum noch vor (1 Prozent).

Lassen wir weitere Zahlen sprechen: Insgesamt gibt es bei 82,7 Millionen Einwohnern 39,2 Millionen Haushalte. Seit 1991 ist die Anzahl der Haushalte um 11 Prozent gestiegen. Ein Haushalt beherbergt durchschnittlich 2,11 Personen, 1991 waren es noch 2,27 Personen. Das liegt vor allem daran, dass es immer weniger Kinder gibt. Besonders drastisch sind die Zahlen in den neuen Bundesländern: 1991 machten Kinder dort noch 32 Prozent der Bevölkerung aus, 2005 waren es nur noch 23 Prozent. Die Zahl der nicht verheirateten Paare hat bundesweit seit 1991 um 40 Prozent zugenommen.

Ohne melodramatisch werden zu wollen, können wir nach einer sachlichen Bestandsaufnahme Folgendes feststellen: Das sind keine Zahlenspiele, sondern nüchterne Statistiken, hinter denen die ganze Tragik unserer Bevölkerungsentwicklung sichtbar wird. Was heißt: Uns fehlen Kinder. Noch zeichnet sich keine Entwicklung ab, dass sich in absehbarer Zeit etwas ändern wird. Nicht, wenn wir so weitermachen wie bisher.

Familien sind wichtig

»Kinder kriegen die Leute von alleine!« Mit diesem folgenreichen Satz lehnte Konrad Adenauer in den fünfziger Jahren das Modell eines Rentenvertrags ab, der die alten Menschen wie auch die nachfolgenden Generationen gleichrangig behandeln sollte. Der damals Achtzigjährige entschied zugunsten seiner Generation, setzte die Vollrente durch und erklärte das Kinderkriegen und die finanzielle Absicherung der Jüngeren zur Privatsache.

Dieses Kapitel der Nachkriegsgeschichte ist heute äußerst prekär. Mittlerweile sind die Probleme unserer kinderlosen Gesellschaft so drängend, dass der Eindruck entsteht, die Kinderfrage sei vor allem ein allgemein politisches Problem, keines, das uns persönlich betrifft. Doch weit gefehlt. Wir versachlichen dabei ein Thema, das unmittelbar mit unserem eigenen Lebensglück verbunden ist, mit unserer Frage nach dem Sinn des Lebens, mit der Frage, wie wir selber, wie jeder Einzelne von uns leben will, mit welchen Prioritäten.

Niemand wird Kinder in die Welt setzen, um das Rentensystem zu retten. Wir sollten also darauf verzichten, Verbesserungen von der Politik zu erwarten. Sie regierte uns in den letzten Jahrzehnten an unserem Glück vorbei – und wird uns auch künftig nicht weiterhelfen, positive Entwicklungen zu fördern. Entscheidend ist vielmehr, ob die Lebensentwürfe, die wir zurzeit für angemessen halten, wirklich dazu beitragen, uns zufrieden und glücklich zu machen, ob es nicht vielleicht Alternativen gibt.

Wie wir gesehen haben, ist die Verfremdung und Entfremdung der Geschlechter Kennzeichen der Gesellschaft geworden. Adam und Eva stehen sich unversöhnlich gegenüber, stumm und müde. Der einsame Kampf aller gegen alle ist das Leitmotiv der Gegenwart, daraus folgt: Beziehungen werden aufs Spiel gesetzt, Kinder werden abgelehnt oder wegorganisiert, Wärme und Nähe gemieden.

Mit dem Bekenntnis zur Familie, zu einem Wir, ist die einzige Chance gegeben, der Kälte unserer Gesellschaft etwas entgegenzusetzen. Mit der Entscheidung für Kinder haben wir die Gelegenheit, Hingabe und Verantwortung zu leben, trotz aller Unwägbarkeiten, trotz aller unplanbaren Komplikationen.

Das Hohe Lied des Individualismus hat längst seinen verführerischen Klang verloren. Was nützt es uns, wenn wir unbehelligt von scheinbar »lästigen« Bindungen durchs Leben gehen? Wohin führt uns die Selbstverwirklichung, die Feier des Ichs? Welche Lebensqualität verspricht uns das Leben als Single? Machen wir uns nichts vor: Ohne Gemeinschaft verkümmert der Mensch, und ein Leben, bei dem Freiheit gleichbedeutend mit Einsamkeit ist, wünscht sich wohl niemand. Das – und nicht die viel zu spät ausgerufene politische Forderung nach steigenden Geburtenraten – ist die Erkenntnis, die uns wachrütteln muss.

Dies alles war Renate bewusst, als sie vor fünf Jahren heiratete. Es war ihre zweite Ehe, die erste war an ihrem rastlosen Karrierestreben gescheitert, wie sie selbst zugab. Abend für Abend hatte sie sich erschöpft aufs Sofa geworfen, ihren Mann kaum eines Blickes gewürdigt, sich eine Zigarette angezündet und gesagt: »Ich bin völlig erledigt. Bestell doch mal was beim Pizzamann.« Selbst die Wochenenden hatte sie meist im Büro verbracht. Nun aber sollte alles anders werden. Sie war Ende vierzig und hatte das Leben als Single satt, der Abend für Abend allein mit der Pizza vor dem Fernseher saß.

Renate nahm bei der zweiten Eheschließung sogar den Namen ihres Mannes an, was sie bei der ersten Heirat nicht getan hatte. Sie wollte ein Zeichen setzen. Ihren Beruf übte sie nur noch halbtags aus, um Zeit für die Zweisamkeit zu haben. Doch dann kam der Anruf ihres Chefs. Er bot ihr eine Position mit viel Verantwortung und großem Prestige an. Das war natürlich keine Halbtagsarbeit, aber Renate konnte einfach nicht widerstehen. Sie nahm das Angebot an und war fest davon überzeugt, dass es ihr diesmal gelingen würde, Mann und Karriere, Beziehung und Zeitmangel unter einen Hut zu bringen.

Sie schaffte es nicht. Ein Jahr später war ihre Ehe am

Ende. Und sie bereut es tief. »Es war wie ein Rückfall bei einer Suchtkrankheit«, erzählte sie mir zerknirscht. »Man weiß, dass einem etwas nicht guttut, und trotzdem kann man es nicht lassen.« Auf meine Frage, woran das liegen könne, zuckte sie mit den Schultern. »Vermutlich sitzt das alles zu tief in mir drin«, überlegte sie. »Als ich studierte, waren Männer für uns nur Bremsklötze, Kinder sowieso. Und wenn man auch nur darüber nachdachte, ob man eine noch anstrengendere, zeitraubendere Arbeit annehmen sollte, hieß es immer: ›Sei doch nicht doof, ein Mann würde auch nicht zögern.‹« Was sie einer jüngeren Frau raten würde? »Bloß nicht eine funktionierende Beziehung der Arbeit opfern, besonders dann nicht, wenn man über Kinder nachdenkt. Meinen tollen Posten bin ich übrigens auch wieder los. Ich war einfach nicht motiviert und leistungsfähig genug, nachdem mein Privatleben wieder so trostlos geworden war. Nun ist nur noch ein Scherbenhaufen übrig. Und ich habe nicht mal Enkelkinder, mit denen ich in den Zoo gehen kann ...«

Frauen denken um

Der Schlüssel für ein Umdenken in der Gesellschaft sind wir Frauen. Wir besitzen ein tiefes Wissen, wie Bindungen und Gefühle entstehen, wie ein Netz der Geborgenheit gespannt wird, wie wir als Partnerin und Mutter zwischen den verschiedenen Bedürfnissen vermitteln können. Wir haben den Blick für Probleme, die in der Gemeinschaft anliegen, und den für ihre Lösungen. Das ist eine Lebensaufgabe, unsere Lebensaufgabe, und kein Zweitjob. Was lange verleugnet wurde: Diese Bestimmung kann uns Frauen umfassende Zufriedenheit und dauerhaftes Glück bescheren.

Wir verbrachten Jahrzehnte damit, den leeren Versprechungen der Emanzipation hinterherzulaufen. Wir waren der irrigen Ansicht, dass wir unsere Würde verlieren, wenn wir Kinder bekommen und uns selbst um sie kümmern. Und wir sahen im Mann, den die Schöpfung als natürliche Ergänzung, als Bereicherung und Stärkung der Frau vorsah, nur noch den Feind, der uns versklaven will. Diese Leitbilder bejubelten wir, als wären wir im Rausch. Mittlerweile macht sich Ernüchterung breit. Und wir geben zu, dass wir am wahren Daseinssinn im Namen des Fortschritts grandios vorbeilebten.

Das tat auch Ines. Sie ist heute Anfang vierzig und hat die, wie sie mir sagte, schmerzhafteste Erfahrung ihres Lebens vor nicht allzu langer Zeit hinter sich gebracht. Mit Anfang dreißig lernte sie Christian, ihren späteren Mann, kennen, die Heirat ließ nicht lange auf sich warten. Ines wollte nach ihrem Studium und einer Ausbildung zur Werbekauffrau erst einmal ausgiebig Berufserfahrung sammeln und Geld verdienen, sie hatte einen gut bezahlten Job in einer angesehenen Agentur. Für Nachwuchs hätten sie später noch Zeit, sagte sie. Christian, der ein mittelständisches Unternehmen leitete, wünschte sich jedoch viel früher eine richtige Familie, und er wollte gleich mehrere Kinder. Auch wenn sie etwas kürzer treten müssten, so wäre das doch nicht so schlimm, meinte er immer, das Geld für den Lebensunterhalt würde er schon aufbringen können. Die Versuche, mit Ines darüber zu sprechen, tat sie meistens mit einer wegwerfenden Handbewegung ab.

Wenn die beiden sich spätabends nach der Arbeit in ihrer Stadtwohnung trafen, war Ines mit ihren Kräften häufig am

Ende. Sie wollte ihre Ruhe haben, schließlich hatte sie den ganzen Tag geredet, verhandelt, telefoniert. Christian hätte sich gern öfter mit seiner Frau bei einem Glas Wein über seine täglichen Erlebnisse unterhalten, auch ihren Rat gebraucht. Als er das einmal monierte, rastete Ines aus. Was sie denn eigentlich noch alles leisten solle?, fragte sie ihn. Sie fühle sich mit dem Job überfordert, kämpfe täglich in einem Haifischbecken um ihre Beförderung, obwohl ihr am Ende womöglich doch ein anderer Arbeitskollege zuvorkomme. Dazu sei sie ständig der Gebärforderung ihres Mannes ausgesetzt, die sie nicht mehr aushalte. Weinend rannte sie aus dem Haus und konnte sich erst Stunden später wieder beruhigen. Diese Ausbrüche wiederholten sich, Gespräche zwischen den beiden wurden immer seltener, dafür traf sich Christian abends häufiger mit Freunden oder Kollegen.

Kurze Zeit später lernte er auf einer Dienstreise Anne kennen, eine junge Frau, die Anteil an seinem Leben nahm und ihm zuhörte. Die beiden trafen sich öfter, sie gab ihm Empfehlungen, wie er sich in seinem Beruf besser etablieren konnte. Anne war eine warmherzige und kluge Frau, die zwar selber arbeitete, doch auch viel für andere tat. Sie war Krankenpflegerin und betreute in der Freizeit ihre alte Nachbarin, für die sie regelmäßig einkaufen ging und Besorgungen erledigte. Christian war hin- und hergerissen, denn ihm wurden zwei völlig unterschiedliche Lebensentwürfe vorgeführt. Und schließlich kam es, wie es kommen musste: Nach langem und schmerzhaftem Ringen um die richtige Entscheidung verließ er seine Frau und zog zu Anne.

Für Ines brach eine Welt zusammen. Doch es war zu spät. Sie saß vor den Trümmern ihres Privatlebens und fürchtete sich vor dem Alleinsein. »Es ging alles so schnell«, schluchzte sie. »Ich glaubte, wir hätten eine vorübergehende Krise, doch auf einmal war Christian weg. Und schuld bin ich ganz allein, ich habe viel zu wenig Rücksicht auf meinen Mann genommen, seine Bedürfnisse habe ich einfach überhört.« Und leise fügte sie hinzu: »Seine neue Freundin soll schwanger sein. Für mich dagegen ist der Zug wohl abgefahren.«

Mit diesem Beispiel wird uns vor Augen geführt, wie schnell manchmal unsere Lebensplanung in die andere Richtung gelenkt wird, mit allen schmerzhaften Konsequenzen und ohne die Möglichkeit, an dem Kurs noch etwas ändern zu können. Sollte Ines nicht in Kürze einen neuen Partner finden, stehen die Chancen für Kinder schlecht. Und für Enkelkinder. Für das Glück einer Familie eben. Mit Anfang vierzig geht das nicht mehr »mal eben so«. Frauen, die sich eben noch für fähig hielten, jederzeit die Weichen pro Familie stellen zu können, stehen im nächsten Augenblick mit leeren Händen da. Wenn der Mann fort ist, fehlt auch der mögliche Vater für Kinder. Und den findet man in der Regel nicht im Vorübergehen.

Viel später, wenn man den Mut für eine ehrliche Bestandsaufnahme hat, zeigt sich häufig auf tragische Weise, wie einfach das Leben in Wirklichkeit ist, so lautete Ines' Einsicht. Sie hat Recht. Es geschieht in der hektischen Zeit heute nur noch selten, dass wir in uns hineinhören und ihr lauschen, der inneren Stimme, unserem zuverlässigen Ratgeber für ein erfülltes Leben.

Um einen Ehren- und Verhaltenskodex für unser Leben zu finden, müssen wir nur die Zehn Gebote näher betrachten. Hier erfahren wir, dass wir nicht stehlen, töten oder ehebrechen dürfen. Und wir lernen, dass Vater und Mutter geehrt werden sollen. Damit sind nicht allein unsere leiblichen Eltern gemeint, vielmehr geht es auch um die Einrichtung, um die Institution Eltern.

Wenn wir, die wir selber Vater und Mutter werden können, dieses Gebot nicht mit dem entsprechenden Ernst und Respekt wahrnehmen, wie sollen dann unsere Kinder später einmal eine funktionierende Familie gestalten können, dessen Pfeiler aus Liebe, Toleranz und fairen Regeln besteht? Wie sollen Kinder, deren Eltern sie im Säuglingsalter aus dem Haus gaben, um zu arbeiten, eine häusliche und geborgene Atmosphäre kennen lernen, in welcher ihre kleinen und großen Probleme gelöst werden? Wer dient ihnen zur Orientierung, damit sie sich selber ein erfülltes Leben ermöglichen können? Welches sind die wichtigsten Werte und Maßstäbe, mit denen sie aufwachsen? Geht es nur um Karrierestreben, ums Geldverdienen, um die Ausschaltung von Gefühlen?

Das Vierte Gebot gibt uns wichtige Hinweise. So enthält es eine weitere wichtige Botschaft – neben der Aufforderung an die Kinder, ihre Eltern später im Alter zu ehren und sich um sie zu kümmern. Nähern wir uns ihr durch Fragen: Wie steht es mit unserer emotionalen Absicherung, wenn wir weder Mutter oder Vater werden, keine Kinder und also auch keine Enkel haben werden? Wem können wir, wenn wir älter und schwächer werden, noch vertrauen, auf wen uns verlassen?

Können Netzwerke unter Freunden unsere Verwandtschaftslosigkeit auffangen? Und ist auf professionelle Betreuung, wenn sie denn noch bezahlbar ist, immer Verlass?

Im Vierten Gebot ist auch, wenn wir es genauer lesen, ein Anspruch auf unser eigenes Überleben formuliert: Wenn du deine Eltern ehrst, dann geht es nicht nur ihnen gut, sondern auch dir. Und wenn es dir wohl ergeht, lebst du länger und bist dabei auch glücklicher.

Wer meint, dass diese Überlegungen wenig mit unserem Problem zu tun haben, der täuscht sich. Das Vierte Gebot sagt unmittelbar etwas über die Stabilität des sozialen Miteinanders aus. Wer mithin keine Kinder hat, muss im Alter auf die Liebe einer Familie verzichten. Vielleicht ist man nicht einsam, hat einige Freunde, doch ist deren Verlässlichkeit niemals vollkommen sicher. Für Krankheit und Gebrechlichkeit gibt es Ärzte, Pflegenotdienste und Heime. Aber wer sucht die aus, wenn man selber dazu nicht mehr in der Lage ist? Wer greift ein, wenn etwas nicht so läuft, wie es sein sollte? Wer beobachtet Pflegekräfte, wer spricht mit Ärzten, wenn nur noch sediert, also ruhig gestellt wird? Und wer achtet auf alles, einschließlich der Würde der alten Eltern? Wirklich Verlass ist da nur auf die Kinder.

Das Alter ist ein weit größeres Problem, wenn man keine verwandtschaftlichen Bindungen hat, wenn man ohne Kinder und Enkel den ungewissen Weg in die staatlich unterstützten Betreuungssysteme antritt – ohne jemanden, dem die Lebensqualität der letzten Lebensjahre am Herzen liegt.

Was bedeutet das für unsere Gesellschaft? Ein weiterer Bereich kommt hinzu, in dem der nüchterne Blick die Empathie, das Mitfühlen mit anderen Menschen ablöst. Damit bröckelt ein weiterer Stein im Gebäude unseres menschlichen Miteinanders. Es ist der Preis eines Individualismus, der von Egoismus kaum noch zu unterscheiden ist und am Ende in die Vereinsamung führt. Die Vorzeichen dieser Entwicklung sind allerdings weit früher zu beobachten, nicht erst in der Phase von Hinfälligkeit und Hilfsbedürftigkeit. Und diese Merkmale haben für ein Unbehagen in unserer Gesellschaft gesorgt, die plötzlich beklagt, dass Gemeinsinn fehle, Solidarität, Verantwortung. Es sind Werte, wie sie notwendigerweise und nahezu beiläufig in Familien vermittelt werden.

Die Familie ist ein unverzichtbares Feld sozialen Lernens. Das Wichtigste, was wir dabei erfahren, ist die Möglichkeit des Respekts und der Versöhnung. Verzeihen, Vergeben, Versöhnen – jeder, der mit Familie, mit seinen Kindern lebt, weiß genau, worum es dabei geht. Mit dem Bewusstsein, wirklich zusammenleben zu wollen, sucht man immer nach Übereinstimmung und Schlichtung, auch wenn es zu Meinungsverschiedenheiten kam. Das sind keine faulen Kompromisse, das ist gelebte Nähe mit all den damit verbundenen Konflikten. Aber die Familie ist eben kein Kriegsschauplatz, sie ist weder Schlachtfeld eines Geschlechterkampfes noch eine der typischen Kampfarenen beruflicher Selbstbehauptung. In Familien wird nicht bis zum letzten Blutstropfen gekämpft, sie können sich das nicht leisten, würden sie sich dadurch selbst zerstören.

Als ich vor einiger Zeit von einer Familienzeitung gefragt wurde, wie ich denn leben würde, wenn ich noch einmal von vorne beginnen könnte, antwortete ich: »Ich würde mir einen Mann suchen, ihn arbeiten lassen und mich um unsere fünf Kinder kümmern.« Das hatte ich ernst gemeint. Die Reaktionen darauf waren erstaunlich: Es waren lediglich einige Karrierefrauen, die sich abfällig über dieses angebliche Steinzeitmodell äußerten und ihrem Unmut darüber Luft machten, dass ausgerechnet eine Erfolgsfrau wie ich solchen Unsinn reden würde.

Die Mehrheit aber beglückwünschte mich. Ich erhielt zahlreiche Zuschriften von Müttern und Hausfrauen, die mir ausdrücklich dankten und mich baten, noch viel öfter solche Äußerungen zu tun. Eine Frau versprach mir, in Zukunft für mich zu beten, denn sie sah es als ein Wunder an, dass eine berufstätige Fernsehfrau etwas Derartiges sagte. Offenbar mutet es schon wie ein Mysterium an, wenn sich eine »öffentliche Frau« viele Kinder wünscht und zu Hause bleiben möchte. Das passt halt nicht ins Bild der allzeit verfügbaren Vorzeigefrauen, die häufig wie lebende Beweise des Feminismus wirken.

Was passt überhaupt ins Bild? Offenbar nicht die vielen Frauen, die mir täglich Briefe und E-Mails zusenden, in denen sie von ihrem Weg abseits des öffentlich empfohlenen berichten. Oft sind sie verletzt: »Ich als ›klassische Mutter‹ werde ja mittlerweile in den Medien schon als faul hingestellt«, schrieb mir eine Frau, die sich ausschließlich um ihre zwei Kinder kümmert. Und zwar aus Überzeugung: »Denn Kinder, die diese Fürsorge nicht kennen, werden sich auch für die Großeltern und Eltern nicht mehr verantwortlich fühlen.«

Eine andere Frau, Mutter von fünf Kindern, berichtete von ihren Erfahrungen mit Krippen und Kindergärten: »Drei meiner fünf Kinder waren drei Jahre lang in solch einer Abgabestation deponiert. Fazit: überzogene Trennungsängste, zahlreiche Krankheiten, Schlafstörungen. Ab Kind Nummer vier wurde der Kindergarten gemieden, und morgens, wenn der Wind um die Fenster pfiff, noch gemütlich gekuschelt. Wir hatten alle Zeit der Welt, Fieber und rote Nasen auszukurieren. Fazit: fünf seelisch gesunde, suchtfreie, stabile Menschen mit Studium, Erfolgskarrieren und der Fähigkeit, sich sozial zu binden.« Was diese Mutter fürchtet: Eine Gesellschaft, in der Kinder »nicht Zeit haben, in Ruhe vom Pflänzchen zur Pflanze zu reifen«.

Ein Vater wiederum beklagte, dass die Einführung der Ganztagsschule oft gegen den Willen jener Eltern durchgesetzt werde, die »ein gemeinsames Familienleben und die individuelle Förderung der Kinder« bevorzugen. »Statt Eltern, die ihre Kinder selbst erziehen, fördern und mit ihnen Zeit verbringen möchten, zu belohnen und zu ermutigen, werden sie lächerlich gemacht und als Randerscheinung ausgegrenzt«, stellte er traurig fest. Das Ziel der Politik sei ganz offensichtlich »die Ablösung des traditionellen Familienmodells«.

Es ist nicht zu überhören: Viele denken anders, als die spätfeministische Politik es will. Die Auseinandersetzung hat bereits begonnen, die Fronten sind abgesteckt. Es ist jedoch die Versöhnung, die wir alle dringend brauchen, in unserem persönlichen Umfeld und bei den großen gesellschaftlichen Debatten. Wir haben uns angewöhnt, eine lebhafte Streitkultur für erstrebenswert zu halten – doch was wäre eine Auseinandersetzung, ohne dass man sich anschließend die Hände reichen kann?

Neben dem nervtötenden Kampf gegen die Männer müssen wir auch den der Frauen gegen Frauen beenden. Emanzen verhöhnen Hausfrauen und Mütter, während die wiederum die Feministinnen verachten. Wohin aber führte uns das? Ganz eindeutig zu einem Sieg der Feministinnen, die die unabhängige und unweibliche Frau als Vorbild durchsetzten. Und das aus einem einfachen Grund: Berufsfeministinnen bilden ihre eigene Lobby, sie schreiben Artikel und Bücher, machen Politik und gestalten Gesetze. Hausfrauen und Mütter haben diese Möglichkeiten nicht. Aus diesem Grund entstand dieses Buch.

Die Notwendigkeit einer Versöhnung

Es lohnt sich nicht, den Feminismus zu bekämpfen. Machen wir unseren Frieden mit all diesen frauenbewegten familien- und kinderlosen Eiferinnen, die nie verstehen werden, was sie den Frauen da ausgeredet haben. Die Schöpfung hat es nun mal so eingerichtet, dass nur die Menschen, die Kinder bekommen, begreifen, welche emotionalen Veränderungen dies mit sich führt. Kämpferische Frauenrechtlerinnen werden niemals erfahren, dass einem manchmal Tränen der Freude oder Überwältigung in die Augen schießen – zum Beispiel, wenn unser Kind zum ersten Mal »Mama« oder »Papa« sagt. Alles andere wird dann bedeutungslos, selbst wenn man ein Unternehmen mit hundert Mitarbeitern leitet.

Kinder- und familienlose Feministinnen können auch kaum nachvollziehen, wie schmerzhaft es für Mütter häufig ist, ihre Kleinen in fremde Hände geben, jeden Tag aufs Neue Abschied nehmen zu müssen, weil sie arbeiten gehen. Wir brauchen ihnen nichts mehr zu erklären, denn sie verstehen unsere Sprache ohnehin nicht. Wir werden unseren Weg ohne diese Streiterinnen fortsetzen, ihr Kampfgeschrei können wir getrost überhören.

Manchmal scheint es so, als gäbe es noch ein paar feministische Veteraninnen, denen nicht auffällt, dass die Kriegszeiten längst vorbei sind. Den Frieden können sie nicht gewinnen, denn Abrüsten ist ihre Sache nicht. Damit sind sie aber auch dazu verurteilt, ein Stück Zeitgeschichte zu sein, nicht lebendige Gegenwart. Warum gibt es keine prominenten Feministinnen im Alter von zwanzig, dreißig oder vierzig Jahren? Alice Schwarzer hat weder Töchter noch Enkel, weder im buchstäblichen noch im übertragenen Sinne, die sich vergleichbar offensiv engagieren. Heute profitieren zahllose Frauen vom Erbe des Feminismus, ohne die immensen Nachteile wirklich zu erkennen.

Wenn sie beginnen, eine ehrliche Bilanz zu ziehen, wird der Feminismus bald nichts weiter als eine Bewegung gewesen sein, deren einzige segensreiche Aufgabe es war, Menschenrechte, die bereits im Grundgesetz standen, mit Blick auf die Frauen wirklich durchzusetzen. Der Feminismus hatte seine Daseinsberechtigung dort, wo eklatante Missstände wie die Vergewaltigung in der Ehe als Straftatbestand verankert werden mussten.

Darüber hinaus aber hatte die Frauenbewegung keine überzeugenden Konzepte für den Normalfall. Sie hatte keine

Antworten auf die Frage, wie man als Frau eine Familie versorgt und Kinder zu selbstbewussten und glücklichen Menschen erzieht. Sie konnte auch nicht dabei helfen, wie man es hinbekam, eine verständnisvolle, trotzdem selbstbewusste Partnerin zu sein, wie es möglich war, gesellschaftlich wichtige Aufgaben zu übernehmen, ohne den ganzen Tag berufstätig zu sein.

Auch die Kritik der Linken an der »bürgerlich-dekadenten« Familie ist ins Leere gelaufen, erfolgreiche Gegenmodelle sind nicht in Sicht. Die WGs sind verschwunden, die »offenen Zweierbeziehungen« haben beziehungsversehrte Singles zurückgelassen.

Mit anderen Worten: Für das alltägliche Dasein hatten weder die Linke noch der Feminismus Ideen, weil die Gesellschaft als wahlweise kapitalistische oder männliche Gewaltherrschaft verstanden wurde. Und so sollten wir den Rebellen und Rebellinnen von einst mit den Worten entgegentreten: »Ruhet in Frieden! Lasst Frauen wieder einen eigenen Weg finden, ohne sie als männerhörige Dummchen zu beschimpfen. Lasst Frauen die wahre Entscheidungsfreiheit, die auch beinhalten kann, sich für Mann und Kind zu entscheiden.«

Rolle rückwärts also?, werden jetzt viele Frauen fragen. Nein, Rolle vorwärts!, ist die Antwort. Das Eva-Prinzip ist alles andere als ein Rückschritt. Denn historisch gesehen hatten wir Frauen nie zuvor die Möglichkeit, in einer immer noch wohlhabenden Gesellschaft wie der unsrigen, einem immer noch relativ gut ausgestatteten Sozialsystem Kinder aufzuziehen. Wenn wir es denn wollen. Wenn wir wirklich die Familie und Kinder als Lebensmittelpunkt akzeptieren können.

Gut gemeinte Appelle, die Gesellschaft müsse kinderfreundlicher und Mütter müssten besser unterstützt und gefördert werden, bewirken nichts, bevor wir nicht Eigenverantwortung übernehmen, bevor wir nicht uns und unser Leben auf den Prüfstand stellen. Sorgfältig und ohne falsche Eitelkeit müssen wir betrachten, welche Wege wir für unser eigenes Glück eingeschlagen haben, was uns das Wohl der Menschen bedeutet, die uns am nächsten sind.

Wenn wir feststellen, dass uns zwischen den Händen zerrinnt, was wir meinten, aufgebaut zu haben, wenn wir begreifen, dass finanzielle Sicherheit und Bequemlichkeit uns verkümmern lassen, dann erst werden wir verstehen, dass es noch etwas anderes gibt. Etwas, das jenseits vom neuesten Auto, einer größeren und schickeren Wohnung und einem weiteren Urlaub liegt, abseits von modernen Kicks und einem zwanghaften Konsumverhalten: nämlich die Familie, inklusive Kind, Mann und einem Zuhause, das ein Rückzugsgebiet und Kraftspeicher sein kann für uns und die Menschen, die wir lieben. Ein Ort, an dem wir alle die seelische und emotionale Energie erhalten, um die immer schwieriger werdenden Verhältnisse »da draußen« bewältigen zu können.

Viele Frauen haben mich gefragt, was sie denn konkret tun könnten, etliche berichteten mir aber auch von ihren ganz persönlichen Lösungen. So erreichte mich beispielsweise der Brief einer Mutter von zwei Kindern, in dem sie mir ihre Lebenshaltung schilderte, die Schule machen könnte: »Mein Mann und ich sind uns einig, dass wir viele

Dinge entbehren müssen, werden und auch wollen, wenn ich nicht arbeiten gehe. Das können wir aber nachholen, wenn die Kinder groß sind. Erziehung, Geborgenheit, Vertrauen und glückliche Kindheit kann man dagegen nicht nachholen.«

Hat diese Mutter nicht etwas Großartiges ausgesprochen? Ihre Sicht der Dinge zeigt in der Tat eine neue Perspektive: dass wir uns um Kinder ja nur eine relativ kurze Phase lang kümmern müssen, verglichen mit einer immer längeren Lebenszeit. Oft wird übersehen, dass wir nicht nur die demographische Entwicklung sinkender Kinderzahlen haben, sondern auch die einer immer weiter steigenden Lebenserwartung. Hier könnte eine verblüffend einfache Lösung liegen: Wenn wir immer älter werden, so sind wir nicht mehr gezwungen, unsere gesamten Lebensprojekte in zweieinhalb Jahrzehnte hineinzupressen. Heute findet für Eltern, wenn sie zwischen fünfundzwanzig und vierzig sind, alles gleichzeitig statt: der Einstieg in den Beruf, Heirat, Kinder, vielleicht sogar noch der Hausbau. Was liegt näher, als die Hochphase der Erwerbstätigkeit von Frauen einfach zehn Jahre nach hinten zu schieben?

Die jungen Frauen heute haben eine durchschnittliche Lebenserwartung von fünfundachtzig Jahren. Doch werden wir nicht nur erheblich älter, wir altern auch langsamer. Frauen weisen noch mit über fünfzig eine Attraktivität und geistige Beweglichkeit auf, die mit der ihrer Mütter im gleichen Alter nicht zu vergleichen ist. Hier liegen die Voraussetzungen und Chancen für eine spätere Berufstätigkeit, dann, wenn die Kinder aus dem Haus sind.

Aussöhnen sollten wir uns auch mit unserer Elterngeneration. Es gehört zum Erbe der Achtundsechziger-Bewegung, dass es selbstverständlich war, sich gegen die Eltern abzugrenzen, ihre Lebensentwürfe als spießig und altmodisch zu bekämpfen. Diese wiederum legten bereits durch ihre berufsbedingte Abwesenheit den ersten Grundstein für eine Bindungslosigkeit zwischen den Generationen. Heute ist eine Generation im Großelternalter, die sich nach den Kämpfen mit den eigenen Kindern ihrerseits abgegrenzt hat. Viele Großeltern verweigern ihre Rolle als Erziehungs- und Betreuungshilfe. Auch sie haben das Diktat der Selbstverwirklichung verinnerlicht und verreisen lieber oder gehen in einen Wanderclub, anstatt ihren Enkeln Zuneigung, Nähe und das Gefühl der Großfamilie zu geben. Die Großeltern brauchen Ermutigung, sie brauchen klare Signale, dass sie wieder erwünscht sind, sonst bleibt es bei der Distanz.

Verhängnisvoll erweist sich auch der Trend zu späten Eltern: Wer erst mit vierzig ein Kind bekommt, präsentiert dem Neugeborenen eine achtzigjährige Oma, die möglicherweise selbst Betreuung braucht, statt regelmäßig oder im Notfall einzuspringen.

Neue Wahlverwandtschaften

Im Gespräch mit vielen Frauen geriet noch ein anderes Problem in mein Blickfeld, das sich hemmend auf den Kinderwunsch auswirkt: Viele Frauen fürchten die soziale Isolation durch ein Kind und gehen kurz nach der Niederkunft wieder arbeiten, mit dem Hinweis, dass ihnen zu Hause »die Decke auf den Kopf« falle. Stimmt: Für manche Frauen ist es geradezu ein Schock, wenn sie nach jahrelanger Berufstätigkeit und dem dazugehörigen sozialen Umfeld plötzlich mit ihrem Kind allein in der Wohnung sind. Nach beruflicher Hektik, nach einem Leben voller Kommunikation, Konferenzen und Terminen finden sie sich plötzlich in einem Umfeld der Ruhe, des Sich-gedulden-Müssens wieder, denn das Baby braucht Zeit, beim Stillen, beim Schlafenlegen, beim Wickeln. Viele Mütter fühlen sich wie gefangen, können nicht ins Kino gehen, trauen sich nicht ins Café, und beim Treffen mit kinderlosen Freundinnen fürchten sie, dass das Kind zu weinen oder zu spucken beginnt, während diese es wie ein Marsmännchen begutachten.

Auch für mich war es eine neue Erkenntnis, dass ich als Mutter eines Babys plötzlich einer anderen Bevölkerungsgruppe anzugehören schien, dass sich mein Leben grundlegend änderte. Aber ich begriff, dass all dies seine Richtigkeit hatte. Es dauerte nicht lange, und ein neues Netzwerk war entstanden, das täglich wuchs. Wenn man sich als junge Mutter umsieht, besteht das Umfeld auf einmal aus zahllosen Mamas und Papas mit gleichaltrigen Kindern, die gut zum eigenen Nachwuchs passen. Man trifft sie überall: In der Nachbarschaft, beim Babyschwimmen, im Wartezimmer des Kinderarztes, im Kollegenkreis. Wenn die Kleinen, die in diesem Alter ausgesprochen neugierig sind, gut miteinander zurechtkommen, ist das gewissermaßen schon die halbe Miete.

Einmal mehr liegt es an uns, die Situation des Mutterseins mit allen Möglichkeiten und Chancen anzunehmen und als positive Bereicherung in unser Leben zu integrieren. Wenn uns schon das System Großfamilie nicht mehr zur Verfügung steht, liegt es nahe, neue Netzwerke zu gründen, zusammen mit »wahlverwandten« Familien. Es ist befreiend und entlastend zu entdecken, dass es anderen Müttern und Vätern ähnlich ergeht, dass sie sich ausgegrenzt fühlen, dass sie weiteren Kontakt möchten.

Mit der Zeit kann aus diesen Beziehungen mehr werden: regelmäßige Treffen, gemeinsame Unternehmungen am Wochenende, gegenseitige Hilfe, wenn der Babysitter abgesagt hat, »Vererben« von Spielzeug und Kleidung. Dabei entsteht ein ganz anderes Selbstbild: Nicht länger sind Mütter und Väter dann in der Kleinfamilie isoliert, sondern sie können in der Gemeinschaft mit anderen die Freude des Elternseins teilen und die Probleme lösen.

Solche eigenständigen Gemeinschaften erzeugen ein neues Elterngefühl, das sich auch fortsetzt, wenn das Kind im Schulalter ist. Warum erwarten wir immer alles vom Staat? Warum organisieren wir nicht einen ehrenamtlichen Obst- und Brötchendienst für die große Schulpause, wenn wir feststellen, dass die meisten Kinder einen Schokoriegel statt eines Pausenbrots dabeihaben? Wenn Frauen offene Augen für das Wohl ihrer Kinder und deren Umfeld haben, weil sie, statt den ganzen Tag zu arbeiten, sich für alles interessieren, was ihre Kinder betrifft, ergeben sich eine Fülle von Ideen, die bereichernd in die Gesellschaft ausstrahlen. Gemeinsinn ist keine abstrakte Größe, er entwickelt sich aus den Erfahrungen in der unmittelbaren Umgebung.

Meine Freundin Ada hat sich vor kurzem entschlossen, nicht nur ihrer Tochter, sondern auch deren drei Freundinnen Klavierunterricht zu geben. Einmal in der Woche veranstaltet sie – unentgeltlich – einen Musiknachmittag. Mein Nachbar Mario spielt fast jeden Abend noch eine Stunde Fußball mit seinem Sohn und den Nachbarskindern, die inzwischen zur gewohnten Uhrzeit bei ihm klingeln und ihn zur »großen Wiese« abholen. Diese beiden Freunde tun dies übrigens nicht alleine für die Kinder, sie selber sind erfüllt vom Spiel und sind zudem ausgesprochen beliebt bei den Kindern; das ist kein zu unterschätzendes, ja, es ist ein herrliches Lebensgefühl und wirkt völlig anders nach als ein gelungener, beruflicher Erfolgsabschluss.

Auch mir macht es großen Spaß, mit den Kindern einer Grundschule in unserem Wohngebiet Leseprojekte zu veranstalten. Wir treffen uns, bereiten Erzählungen vor, und die Schüler nehmen in einem richtigen Hörfunkstudio die Geschichten auf CD auf, die wir dann für einen guten Zweck verkaufen. Dabei spüre ich das tiefe Glück, das diese gemeinsame Arbeit auslöst. Es ist die Empfindung, etwas wirklich Sinnvolles zu tun, das nicht ausschließlich dem eigenen Fortkommen dient und das uns schließlich verändert und uns wachsen lässt.

Das sind nur einige Beispiele, die mir aber immer vor Augen stehen, wenn von fehlenden Angeboten für Kinder die Rede ist, wenn wieder gejammert wird, der Staat tue zu wenig.

Wir sind der Staat. Jeder kann selbst die Initiative ergreifen. Und wenn Frauen erst einmal entdecken, welche erfindungsreichen und kreativen Möglichkeiten mit dem Muttersein verbunden sein können, dann werden sie auch den Begriff der Selbstverwirklichung mit anderen Augen sehen. Gemeinnützige Arbeit zum Wohl der Kinder, Ehrenämter im Kindergarten und in der Schule, die Einrichtung und Betreuung einer Schülerzeitschrift, Nachbarschaftshilfe, wenn andere Eltern erkranken – es gibt eine Vielfalt von Tätigkeiten, die nicht in das Klischee passen, dem zufolge »Vollzeit-Mütter« den ganzen lieben langen Tag nur Breichen kochen und ihr Gehirn verkümmern lassen.

Die neue Weiblichkeit umfasst aber noch mehr als all das Beschriebene. So wird es immer Frauen geben, denen es aus unterschiedlichen Gründen nicht gegeben ist, ein Kind zu bekommen. Sie sind für unsere Gesellschaft genauso wichtig in ihrem Wirken wie Mütter. Sie können ebenso Verantwortung zeigen für andere, für die Kinder ihrer Geschwister, ihrer Freunde oder Nachbarn. Es ist nicht nur eine Bereicherung für die Kleinen, wenn sie feststellen, von Menschen umgeben zu sein, die an ihrem förderlichen Fortkommen interessiert sind. Sondern auch diese Frauen selber werden spüren, wie lebendig und bunt die Welt der Kinder ist und wie sie uns manchmal Lösungen für unsere Probleme bringen, die verblüffend einfach und logisch sind.

Es sind wir Frauen, die dafür bestimmt sind, Schutzräume zu entwickeln, ein Zuhause zu schaffen, das Heimat bietet, Zuflucht und Frieden. Wir sind es, die segensreich wirken können durch unser besonders ausgebildetes Verständnis, durch unsere Fähigkeit, empfinden und mitfühlen zu können.

Das Eva-Prinzip

All das könnte der Beginn einer neuen gesellschaftlichen Aufbruchsstimmung sein, mit der die Familie wieder einen zentralen Platz erhält. Es ist nicht die abstrakte gesellschaftliche Verantwortung, die uns verpflichten könnte, Eltern zu werden. Umgekehrt aber lernen wir Verantwortung, wenn wir uns für Familie und für Kinder entscheiden. Nicht jenes Pflichtgefühl, wie wir es aus dem Beruf kennen – wir müssen vielmehr Rücksichtnahme neu erlernen, Rücksicht auf Menschen, die uns wichtig sind. Sie müssen es uns wert sein, auf egoistische Alleingänge zu verzichten.

Für die Menschen, die in unser Leben gehören, müssen wir Gespür und Sorgfalt entwickeln, mit aller Entschlossenheit. Wir lernen zu geben, ohne Anspruch auf Bezahlung. Und wir erfahren, was Demut bedeutet, Zugewandtheit, Nähe, innige Liebe und vor allem Treue. Nur das wird schließlich auch zu einer Veränderung der Gesellschaft führen. Zu einer Abkehr vom Anspruchsdenken, vom Egoismus, vom endlosen Aufrechnen, was man denn für seinen Einsatz bekommt.

Ich habe in meinem Buch viel über die biologischen Grundlagen gesprochen, die uns Menschen Dauer garantierten und deren Nichtbeachtung katastrophale Folgen haben kann. Diese Erfordernisse sind denen der Tiere ähnlich, die ihnen durch ihren Instinkt wie selbstverständlich gerecht werden. Die Frau steht jedoch an anderer Stelle als ein Tier und hat dementsprechend auch höhere Aufgaben zu erfüllen. Es ist deshalb völlig legitim, wenn einige Frauen den Drang in sich spüren, sich nicht »zum Muttertier abwerten« lassen zu wollen. Auf der Flucht vor dieser Fessel sind sie jedoch in die falsche Richtung gelaufen. Nun müssen sie den ganzen Weg wieder zurückgehen, um mit der eigentlichen Aufgabe überhaupt beginnen zu können.

Es wird einer späteren Zeit vorbehalten sein, in der die Frau jene führende Rolle übernehmen wird, die ihr zugedacht ist, dann, wenn sie all die in ihr liegenden Fähigkeiten benutzt, die dem Mann nicht zur Verfügung stehen.

Es war Eva, die sich von der Schlange überreden ließ und die Adam schließlich den Apfel vom Baum der Erkenntnis reichte. Dieses Geschehen nahm den Dingen ihre Eindeutigkeit und Unschuld und zeigte den Menschen, was alles möglich ist, was alles sie erobern und verändern konnten.

Die Folgen sind bekannt, das Paradies ist seitdem für uns Menschen zumindest hier auf Erden versperrt. Wir sehen heute, welche Folgen der Machbarkeitswahn der Erkenntnis hat: Unsere Erde ist nahezu zerstört, Liebe und Verantwortung existieren kaum noch, und Kinder fehlen. Und so muss es auch Eva sein, die die Schlange nun verbannt und die Sache wieder in Ordnung bringt. Mit einem Apfel – der Versöhnung.

Dank

Bedanken möchte ich mich bei allen, die mir nach dem *Cicero*-Artikel Briefe und E-Mails schrieben, die mir Mut zusprachen. Mein Dank gilt für die wertvolle Hilfe und Rückendeckung in einer schwierigen Zeit. Den sachlichen Kritikern danke ich für ihre Anregungen, die eine Auseinandersetzung mit diesem gesellschaftlich sehr relevanten und Zukunft bestimmenden Thema voranbrachten. Danken möchte ich auch allen Spöttern, weil sie nicht nur Kritik an Teilsaspekten äußerten, sondern ein erkennbares, offenes Bekenntnis ihrer eigenen Unsicherheit ablegten und die Schieflage, auf der wir balancieren, damit nur bestätigten.

Meinen Chefs und Kollegen beim NDR und der ARD danke ich ausdrücklich für ihre Loyalität und faire Unterstützung in diesen bewegten Zeiten.

Mein Dank für die Mitwirkung an diesem Buch:

Dieser geht im Besonderen an: Prof. Dr. Peter Riedesser, Leiter der Kinder- und Jugendpsychiatrie und Psychotherapie der Uni-Klinik Hamburg-Eppendorf, den Leiter der Abteilung Pädiatrische Psychosomatik und Psychotherapie im Dr. von Haunerschen Kinderspital an der Ludwig-Maximilians-Universität München Dr. Karl Heinz Brisch, Dr. Joachim Bensel von der Forschungsgruppe Verhaltensbiologie des Menschen in Kandern und an den Physiker Dr. Friedbert Karger und seine Frau Anne-Marie.

Für Hinweise aus dem Bereich der evolutionären Verhaltenstheorie und der Neurowissenschaften danke ich herzlich Prof. Dr. Dieter Neumann. Und ganz besonders meiner Co-Autorin Dr. Christine Eichel für die ausgesprochen gute und sehr freundschaftliche Zusammenarbeit.

Mir ist es wichtig zu erwähnen, dass dieses Buch nicht zustande gekommen wäre ohne die liebevolle Nachsicht, Rückendeckung und Unterstützung meiner Familie.

Mehr zum Eva-Prinzip unter:

www.eva-prinzip.com

Hier finden Sie unter anderem das Diskussionsforum, aktuelle Informationen sowie das monatliche Eva-Magazin mit vielen Beiträgen und Analysen.

2. Auflage 2006

Redaktion: Regina Carstensen
Umschlaggestaltung: Hauptmann & Kompanie Werbeagentur,
München-Zürich
Gesetzt aus der Celeste
Satz: Fuldaer Verlagsanstalt, Fulda
Druck und Bindung: Druckerei Pustet, Regensburg
Printed in Germany
ISBN-10: 3-86612-105-9
ISBN-13: 978-3-86612-105-8

Katrin Wiederkehr

Lieben ist schöner als siegen

Verrat und Versöhnung bei Paaren

248 Seiten. Gebunden.
€ (D) 17,90 | sFr 32,-
ISBN-10: 3-86612-062-1
ISBN-13: 978-86612-062-4

Die Liebe lässt uns an das Gute glauben und die schlechte Welt vergessen. In die Liebe setzen wir all unsere Hoffnungen. Umso härter trifft es uns, wenn uns der Mensch im Stich lässt, dem wir am meisten vertrauen. Katrin Wiederkehr zeigt uns, wie Versöhnlichkeit möglich ist. Ihr Buch ist eine unentbehrliche Hilfe für Paare auf dem Weg zur Versöhnung und bietet gleichzeitig die Grundlage für eine breite Diskussion in Psychologie und Gesellschaft.

»Ein Buch mit Kult-Potenzial.« *Schweizer Familie*

Pendo Verlag GmbH & Co. KG
Postfach 401540 | D-80715 München
Fon +49 (0)89 - 7 00 76 88-0
Fax +49 (0)89 - 7 00 76 88-9
www.pendo.de | www.pendo.ch

Leo Hickman

Fast nackt

Mein abenteuerlicher Versuch
ethisch korrekt zu leben

320 Seiten. Broschur.
€ (D) 16,90 | sFr 30,-
ISBN-10: 3-86612-100-8
ISBN-13: 978-86612-100-3

Fair-Trade-Apfel aus Übersee oder heimischer Bioapfel? Was halten auswaschbare Windeln aus? Ein Jahr lang hat der Journalist Leo Hickman versucht, ohne schlechtes Gewissen zu leben: gesunde Ernährung, schonender Umgang mit natürlichen Ressourcen und der Versuch, seine Kaufkraft bestimmten großen Konzernen zu entziehen. Voller Humor berichtet er davon, wie seine Familie und er sich erfolgreich umgestellt haben – und ihr Leben auf den Kopf.

»Erfrischend und urkomisch – dieses Buch sprüht vor Ideen für einen besseren Alltag.« *The Ecologist*

Pendo Verlag GmbH & Co. KG
Postfach 401540 | D-80715 München
Fon +49 (0)89 - 7 00 76 88-0
Fax +49 (0)89 - 7 00 76 88-9
www.pendo.de | www.pendo.ch